Voor jou

D0227879

Ander werk van K. Schippers

P.C. Hooftprijs 1996

De waarheid als De koe (gedichten, 1963)
Een klok en profil (gedichten, 1965) Poëzieprijs van de gemeente Amsterdam 1966
Verplaatste tafels (gedichten, 1969)
Een avond in Amsterdam (roman, 1971)
Sonatines door het open raam (gedichten, 1972)
Holland Dada (documentaire, 1974, 2000)
Een vis zwemt uit zijn taalgebied (gedichten, 1976)
Bewijsmateriaal (roman, 1978)
Eerste indrukken. De memoires van een driejarige (roman, 1979)
Een leeuwerik boven een weiland (een keuze uit de gedichten, 1980, 1996)
Beweegredenen (roman, 1982) Multatuliprijs 1983
Een liefde in 1947 (roman, 1985)
De berg en de steenfabriek (verhalen en beschouwingen, 1986)
Het witte schoolbord (novelle, 1989)
Museo Sentimental (verhalen en beschouwingen, 1989) J. Greshoffprijs 1990
Eb (verhalen en beschouwingen, 1992)
Vluchtig eigendom (roman, 1993)
's Nachts op dak (kinderboek, 1994) Zilveren Griffel 1995
De vermiste kindertekening (verhalen en beschouwingen, 1995)
Poeder en wind (roman, 1996)
Sok of sprei (kinderboek, 1998) Zilveren Griffel 1999
Sprenkelingen (verhalen en beschouwingen, 1998)
Zilah (roman, 2002)
De vliegende camera (verhalen en beschouwingen, 2003)
Waar was je nou (roman, 2005) Libris Literatuur Prijs 2006
Stil maar (verhalen en beschouwingen, 2007)
De hoedenwinkel (roman, 2008)
De bruid van Marcel Duchamp (zoektocht, 2010)
Tellen en wegen (gedichten, 2011)
Op de foto (roman, 2012)

K. Schippers

Voor jou

Verhalen

Amsterdam · Antwerpen
Em. Querido's Uitgeverij BV
2013

De illustraties in dit boek zijn voor zover mogelijk opgenomen in overleg met de rechthebbenden; zo niet, dan wordt de rechthebbende verzocht contact op te nemen met de uitgeverij om alsnog in een regeling te voorzien.

Copyright © 2013 K. Schippers
Voor overname kunt u zich wenden tot Em. Querido's Uitgeverij BV, Singel 262, 1016 AC Amsterdam.

Omslag Brigitte Slangen
Omslagbeeld Balthus, *Jeune fille à la fenêtre* (1955), privéverzameling
Foto auteur Allard de Witte

ISBN 978 90 214 4744 5 / NUR 301
www.querido.nl

erica tetralix

Inhoud

Inleiding

We rijden naar Straatsburg om in de Aubette een pas opgeknapte zaal van Theo van Doesburg te bekijken. Het brede gebouw aan het plein was eerst een kazerne en daarna een amusementspaleis, waarvan de zalen in 1927 door Van Doesburg, Sophie Taeuber en Hans Arp hoofs en vrolijk werden ontworpen.

E. rijdt en ik vertel haar iets over deze bundel, ben hem aan het samenstellen.

'Er ontbreekt nog iets aan,' zeg ik.

'Wat dan?'

'Ik weet het niet... iets wat een ander ritme geeft... tussen de stukken in.'

'Wat mag dat dan wel zijn,' vraagt E.

Ik kijk naar een weiland, een bosrand, een paar wegwijzers. Ze zien eruit of ze niet graag worden benoemd.

'...iets anders,' probeer ik.

'Over Brussel?' vraagt E.

'Ja, misschien.'

'...gaan we pas over een maand of drie heen...'

In de verte zie je de kathedraal, 'wat gebeurt er dan nog tussen de verhalen,' vraagt ze, het krijgt haar toch te pakken, 'niks toch?'

Straatsburg op zondagmiddag. In de regen zoeken we de ingang van de Aubette, vinden die ook, onder de poort. We hebben er niets aan. Het museum is gesloten, woensdag pas weer open.

'Bedoel je dit soms,' vraagt E., 'het past zo tussen twee verhalen. Hoe kom je toch aan die Van Doesburg?'

Ik vertel dat m'n vriend Gerard in dienst was met de etser Dick Cassée. In Enschede kreeg Dick les van Aldo van Eyck, de architect die in de oorlog in Zürich zat.

'Daar leerde hij Hans Arp, Max Ernst en andere dadaisten kennen. Hij was bevriend met Nelly van Doesburg, de vrouw van Theo. Van Eyck vertelde er vaak over in de klas... the great gang.'

'Uit de eerste hand,' zegt E., 'zo bereikte het jullie ook.'

'Henk en mij, ja... en Gerard... om het nooit meer te vergeten.'

We rijden in de richting van de Morvan, 't is nog een heel eind naar het zuidwesten. Een rij wilgen en eindeloze akkers, wilgen op bepaalde afstanden van elkaar geplaatst. Eerst staat er een boom, dan geen boom, dan weer wel een boom en dan weer geen boom. Wie zei dat ook weer.

Wat een koeien, vlak bij de weg. In de verte drie, vier luchtballonnen, heel hoog. Het moet wel een wedstrijd zijn.

'Een voorval tussen twee andere voorvallen stoppen...' zeg ik.

'Begin je er nou weer over...'

'...het komt door m'n grootvader misschien...'

Ik zeg dat hij voor het eerst naar de bioscoop ging. Hij was toen al wat ouder en had na afloop maar één vraag.

'Wat dan?' vraagt E.

'Wat gebeurt er in de tussentijd?'

'Hoe?'

'Tussen de scènes in.'

'O zo... een man duikt in de golven,' lacht E., 'en meteen daarna doet hij een deur open, boem-pats, eenvoudiger kan het niet.'

'Hoe los jij dat dan op?'

'Als je tussen de zee en z'n huis een trein laat zien, wordt het verhaal iets duidelijker.'

'Dan heb je nog niet alles.'

'Nee,' zegt ze, 'je krijgt er twee andere openingen bij... tussen de zee en de trein...'

'...en tussen de trein en de deur...'

'...daarom houd ik zo van webcams, de hele dag een ijsvogel... of een vos in z'n hol...'

'...zonder onderbrekingen... en zonder dat je er vaak naar kijkt...'

De Morvan is een heuvelachtige streek met bossen, in het midden van Frankrijk. Je rijdt door een dorp zonder een mens te zien. Kastelen in de geest van slot Bommelstein, met laaghangende wolken om de spitsen en naar zeep geurende namen als Bazoches, Chastellux en Lantilly.

In een van die kastelen moet een model van de schilder Balthus wonen. Ze was nog net niet volwassen toen hij haar tekende. De laatste ogenblikken van haar jeugd, die zie je op z'n mooiste schilderijen.

Nog niet beginnen, nee, hier nog niet. Het moet verderop.

Op de Zuidas

Van Amsterdam-Zuid bereik je Amstelveen over de Buitenveldertselaan, een drukke verkeersweg, met in het midden de rails van de gevaarlijke lijn 5. Heel wat fietsers zijn hier al door de tram geschept.

Elke week rijden we over die weg om vrienden in Amstelveen de Engelse zondagskranten te brengen, langs de wolkenkrabbers in aanbouw. We kijken er nauwelijks naar. De groei van een boom voor je deur kun je ook niet bijhouden. De komende wijk zegt ons nog niets.

Je gaat er vast alleen naartoe om iets zakelijks te regelen, een financieel district. Ik ben er, zover ik weet, vroeger ook nooit geweest. Geen herinneringen aan dit gebied. Het is ontsnapt aan mijn bestaan.

In het klooster bij het Beatrixpark laat Meinke Horn van het Virtueel Museum Zuidas me een foto van haar vader en grootvader zien, die in 1917 moet zijn genomen. In de studio is als achtergrond een veld met bomen gebruikt.

Op de foto is de negentiende eeuw nog niet voorbij. De grootvader van Meinke heeft een arm om de rug van zijn zoontje Lex geslagen. Het is een jongen van een jaar of twee. Lex leunt tegen de dij van zijn vader Leo en kijkt over zijn schouder naar de fotograaf.

Ruim dertig jaar later, niet lang na de oorlog, heb ik Meinkes grootvader af en toe ontmoet. Met zijn vrouw woonde hij aan de Binnenkant, een royale gracht in het centrum van Amsterdam, vlak bij de Prins Hendrikkade.

Leo Horn (links) en Lex Horn, Amsterdam, 1917

Op de keuze van je ouders om bij iemand op bezoek te gaan had je geen invloed. Je ging gewoon mee en je zag wel waar je belandde. 'Helemaal hierheen gekomen,' zei meneer Horn vriendelijk lachend.

Daar bleef het bij. Aan het gesprek nam je niet deel. In vreemde kamers zocht je naar iets wat je belangstelling een tijdje kon vasthouden. Meestal kwam je niet verder dan een muf geurend boek dat je uit de kast trok om het vrijwel meteen weer tussen de andere boeken te schuiven, in de hoop dat je niets aan de indeling had veranderd.

Het zachte gesprek van meneer Horn met mijn vader werd op een afstand van mij gevoerd. Als ik te dichtbij kwam, werd er gezwegen. Ze waren alle twee lid van een organisatie die, zoals ik later begreep, geld verspreidde onder arme mensen.

Geen vrijmetselaars, wel iets in die klasse. Odd Fellows, zo werd de club genoemd, in de Galerij nummer 14. Een paar verdiepingen hoger, op twee met elkaar verbonden zolders, woonden Gerard Reve en Hanny Michaelis. Het huis werd met de hele galerij in 1960 afgebroken.

Ik herinner me niet dat meneer Horn ooit bij ons thuis op bezoek is geweest. Hij was een stuk ouder dan mijn vader en daarom zochten wij meneer Horn op en niet omgekeerd.

In die dagen was ik lid van AFC, de Amsterdamsche Football Club, in 1895 opgericht. Mijn vader was effectenmakelaar en het sprak voor hem vanzelf dat zijn twee zoons voor die vereniging kozen. We mochten dan uit een volkse buurt in West komen, een zekere deftigheid moest ons toch wel worden bijgebracht.

Op de fiets reed ik vanuit West naar het voetbalveld aan de rand van de stad, m'n sporttas achterop, met de kiksen van Jan van Diepenbeek, een collega van mijn vader en ook een back van Ajax en het Nederlands elftal. Mijn vader had ze van hem cadeau gekregen.

Ik fietste over de Amstelveenseweg langs het Olympisch Stadion. Een week eerder waren we nog bij meneer Horn op bezoek geweest. En in de West End, onze buurtbioscoop, draaide *Love Happy* met The Marx Brothers.

Ik had er, samen met mijn broer en een neef, ontzettend van genoten, vooral van Harpo. Als hij door een schurk wordt ondervraagd, haalt hij eerst een slee uit z'n jaszak en ook nog een levende hond. Het zou de laatste film van de drie broers zijn, maar dat wist ik toen nog niet.

AFC speelde aan de Zuidelijke Wandelweg. De ijle klank

van die naam stemt overeen met de nevelige velden. Ik kon het terrein nooit meteen vinden. De voetbalvelden verschilden niet zoveel van de weilanden, die aan de rand met wilgen en struiken waren begroeid.

Tegen Zeeburgia moesten we en ik speelde linksback. Bouwer was rechtsback, in de voorhoede speelde een jongen die Bouwman heette. Hij scoorde altijd. Ouders langs de kant. Soms werd de bal in een sloot geschoten. Met een net aan een lange stok viste je hem er weer uit.

Een paar jaar geleden begeleidde ik een aantal studenten op de Rietveld Academie, Beeld en Taal, een nieuwe richting, met het accent op schrijven. Gedichten, tekeningen, video's, van alles wat. En ineens, tussen de gesprekken door, dacht ik: hier was het. Wat hier dan wel was, geen idee, iets speelde zich hier af waar ik bij betrokken was, dat gevoel. Dan sterft het weer af. Ik kom er niet achter wat mijn herinnering bedoelt.

Nu weet ik het: hier ongeveer moet AFC hebben gespeeld. De Zuidelijke Wandelweg eindigt nog steeds in de verte aan de Amstel, tussen het kerkhof en het paviljoen, of misschien begon hij daar wel. Vroeger kronkelde de lange laan in elk geval door tot aan de Amstelveenseweg.

Op de eerste verdieping van de Rietveld sta ik hoog boven de voetbalvelden. Ik kan niet ver van de kantine af zijn. Een tombola met de kerst, overal kerststukjes, tussen de ramen en naast de kast met de zilveren bekers en medailles.

We trekken kaartjes uit een ton met zaagsel, gretig, om een onzichtbare hand de goede kant op te sturen. De prijzen liggen op tafel, een echte voetbal, een lap stof voor een broek, en ik hoop alleen maar op die 78 toerenplaat van Billy May met z'n lachende saxofoon.

When I take my sugar to tea
all the boys are jealous of me
'cause I never take her
where the gang goes
when I take my sugar to tea

Nummer 84, Bouwman trekt het kaartje, steekt het lachend omhoog. Het verdriet golft door mijn borst. De plaat wordt opgezet. Ik hoor wat ik niet heb gekregen.

In het WTC-gebouw aan het Zuidplein bekijk ik de maquette van de Zuidas, op een reusachtige tafel. Daar heb je de Rietveld Academie, in het noordwesten. De AFC-velden zijn in 1962 naar de Boelelaan verplaatst.

Hoge gebouwen, hogere gebouwen, meer dan driekwart moet nog worden voltooid. Wat moet er in al die gebouwen gebeuren?

Ik zoek de plek waar de uitbreiding in het zuiden van de stad is begonnen. De Stadionstraat, bij het Olympisch Stadion en het witte gebouwtje van Citroën, als je van daaruit... nee, m'n wijsvinger zoekt de eerste kiem... bij de Wielingenstraat, daar begon het, zonder dat ik er erg in had.

De winter van 1959-'60, 's avonds laat rijd ik op een hoge fiets, nog van m'n vader geweest, naar huis. Het werk bij de post in de rechtervleugel van het Centraal Station duurt tot een uur of elf.

De brieven worden gesorteerd in een enorme hal. Ze moeten rechtop worden gezet, met de postzegel links beneden. Als ze in een bak zijn opgehaald gaan ze meteen de stempelmachine in, rrrrrrt, achter elkaar, honderden, duizenden.

De pakjes en de door bedrijven al rood gefrankeerde post worden op aparte tafels behandeld. De pakketpost moet met een wagentje bij deur 10 worden opgehaald, die komt uit op het eerste perron.

Avondwerkers, kappers en kruideniers, veel onbestemde types, die hier iets bijverdienen. Canadese prentbriefkaarten van de prinsessen aan de koningin, ze gaan de hele zaal rond, iedereen geeft commentaar. Veel Surinamers, de eerste marihuanadampen, tijdens het werk.

Ik woon in de Wielingenstraat en slaap 's morgens uit. 's Middags zwerf ik door de buurt. Pal tegenover ons huis wordt aan een gebouw gewerkt. Hier komt de nieuwe RAI, de oude aan de Ferdinand Bolstraat is nog steeds in gebruik. Daar speelde ik volleybal en basketbal, de grootste sporthal voor middelbare scholieren.

De nieuwe RAI wordt nog groter, je ziet het aan de roodwitte linten tussen de piketpaaltjes. Het gebouw groeit zo snel. Op de Hootenanny Show roept mijn vriend Philip 'klap eens in je handjes' tegen een serveerster met een vol dienblad. Dan gebeurt er iets groots, ze doet het echt, zet het dienblad op een tafel en klapt dan zo hard in haar handen dat de glazen ervan trillen.

Mijn broer wint er een 8 millimeter-filmcamera, alleen maar door uit te rekenen hoe vaak een filmpje per dag op de huishoudbeurs wordt gedraaid. Kort daarna zie ik Yves Montand in de RAI, 'Les feuilles mortes', 'L'âme des poètes', veel chansons van Prévert, Montands hele repertoire. Freek de Jonge is er ook, 'die man kan alles,' zegt hij tegen mij, 'maar hij doet er niets mee.'

Langzaam glipt het leven in de Zuidas. De nieuwe en intussen alweer tamelijk oude RAI, de Rietveld, het zijn nog maar de randen, nu spring ik ermiddenin.

Het Gustav Mahlerplein op zondag. De wind giert er tussen de torens, in spookgeld gehuld. Het is er zo koud dat het lijkt of de vorst hier is uitgevonden. Er loopt niemand en het hoort zo. Het café en de twee restaurants aan het plein, kaartjes achter het raam, in het weekeinde zijn ze dicht.

Aan mijn blik hecht zich iets wat ik alleen ken van mijn linkerhand. Als je die moet gebruiken wordt zelfs de vorm van een ei of een doos onwennig. Hier kijk ik links. Het is niet eens te zien of er in een hoog gebouw wordt gewerkt of gewoond.

De echo van voetstappen. Een man komt de hoek om, met een tas aan de arm. Het is een Amerikaan, ja, hij woont hier, tijdelijk, net als de meeste andere bewoners. Op de zestiende verdieping, het klinkt alsof hij het ter plekke verzint. Net boodschappen gedaan, hier is geen winkel. Hij loopt altijd door Station Zuid, onder de rails, naar de Beethovenstraat.

Hier roep je niet naar een bekende aan de overkant van de straat. Er is gewoon niemand. Het vette woord straat past niet bij het zilver en het marmer van de deftige gevels, geen veeg, geen barst, een vacuüm zonder voorvallen.

Ik loop naar een café achter in een straat. Ook dicht, op een nieuwjaarsreceptie heb ik er tientallen mensen zien lopen. Niemand vroeg wat ik hier deed, ook voor mij champagne, op een bijeenkomst van naamloze gezichten.

Bij het gebouw van ABN Amro loop ik naar links. Een blinde muur, ik ben hier eerder geweest, zonder ook maar een seconde aan de Zuidas te denken.

Op de maquette is deze lege plek met wolkenkrabbers bezaaid. Hier zie ik alleen maar onbedoeld gras en luie stenen. Daarop stond kortgeleden de grote tent van Circus Renz.

De muziek als je nog niet binnen bent. Schetterende trompetten, lachende saxofoons en daaronder zo'n tierelantijnpiano, trekt zich niets aan van de andere heerlijk ordinaire klanken.

Paarden, acrobaten, olifanten, ze zijn er allemaal, jongleurs, de clowns Milko en Frenky verdwijnen in een bad van scheerschuim, gretige leeuwen, 'hooggeëerd publiek...'

Frenky blaast bellen, geen kleintjes, minstens zo groot als een gebalde vuist. Hij loopt door een regen van bellen, stompt er een paar omhoog, ze breken niet.

Met een paar ballen begint hij te jongleren, tussen de zeepbellen door en wat daarin wordt weerkaatst, de masten van de tent, het publiek, het zaagsel op de vloer. Het ontkomt niet aan de luchtweg die Frenky ervoor heeft uitgestippeld, hij gaat over het allerlichtste.

Een bal verlaat de tent, zweeft

over de weg en daalt langzaam naar de AFC-velden aan de overkant, waar een andere bal door de oefenende jeugd de lucht in wordt geschoten.

Tussen de velden loop ik in de richting van de Boelelaan. Fietsenrekken staan leeg. Een bevroren tak steekt uit een hoop modder. 'Verboden parkeren op bouwterrein' staat er op een groot bord. Ongebruikte parkeermeters. Je krijgt niet de indruk dat iemand z'n auto in deze steppen ooit kwijt wil raken. Een krant en een plastic zak vliegen in de wind langs een leegstaand gebouw.

De Fred Roeskestraat met de Rietveld begrenst de Zuidas in het noordwesten. Nu loop ik op de Boelelaan, in het zuidoosten, en weer krijg ik het gevoel dat ik hier ergens binnen ben geweest, met door de ramen een uitzicht over de stad in aanbouw.

César Horn, de danser en de vriend van A.J.P. Tammes, hoogleraar internationaal recht aan de gemeentelijke universiteit. César ging in een flat aan de Boelelaan wonen toen Arnold was gestorven. Een interieur met mahoniebruine kasten en zeventiende-eeuwse schilderijtjes, voorname landschappen en toch elegant, ze hoorden bij zijn poëzie.

De jurist Arnold Tammes dichtte onder het pseudoniem J.C. Noordstar, dit zijn de eerste regels van 'De Zwanen':

De Zwanen moesten zonder zorgen kunnen leven,
en 's morgens voor een hoog raam zitten,
wijl hun blik weidt over 't bos- en heuvelrijk' Italia.

De rand van de Zuidas, een flard van de negentiende eeuw is erin overeind gebleven, als op de foto van Césars naamgenoot, meneer Horn. In het gedicht klinkt ook het verlangen naar de vernieuwing van alle zo oude woorden, wordt spottend gezocht naar een toekomst, die zowel helder als betrekkelijk kan zijn.

Ik sta weer voor het raam van César Horn. Je kunt de Zuidas maar het best van een afstand bekijken, zonder dat je bedenkt wat er ooit moet gebeuren.

Krullend, zwierig, rolt het landschap naar beneden,
de kronen van de bomen zijn als bollende kolen
en zandwegen als zwierige wimpels.
En als de zon te hoog komt,
laten ze een zonnescherm zakken over hun ogen en over
hun papieren.

Daar lopen Noordstars zwanen op het dak van een paar wolkenkrabbers. Ik zie ze voor me, in de verte.

Het licht van New York in toekomstig Amsterdam. Het hoort bij de showfilms van vlak na de oorlog, Esther Williams, het orkest van Xavier Cugat, Red Skelton, de songs van Dinah Shore en Danny Kaye.

J.C. Noordstar, het was de lievelingsdichter van Jan Hanlo. Bij de maquette van de Zuidas dacht ik aan de Stadionstraat. Misschien kunnen we de dichter van 'Oote' daar nog vinden, in het midden van de jaren zestig, op bezoek bij vrienden. Het is hier niet ver vandaan.

Nee, de straat kijkt niet meer uit op tennisvelden, die zijn volgebouwd. Hij kreeg ook een andere naam, de Hestiastraat. We kunnen wel naar boven, de deur staat open.

Een prettige drukte, kinderen die nog niet zo lang kunnen lopen, een stuk of drie. Een keurig geklede man met een kortgeknipt snorretje scharrelt met een fototoestel en de zelfontspanner. De kinderen zeggen zomaar wat, hoeven nog niet echt mee te doen dan de taal.

Een man met een crewcut en een montuurloze bril zegt iets tegen Hanlo, 'dat gedicht van jou... over dat tapijt...'

'...mijn Beloetsj, ja...?'

'...dat is jazz... pure jazz...'

'Komen jullie nou,' roept de fotograaf, 'het moet wel een beetje vlug...'

Even later zitten ze op de bank, Henk, Gerard en ik, of liever J. Bernlef, G. Brands en K. Schippers, de redactie van *Barbarber*. Nu komt ook Jan Hanlo er nog bij zitten, de belangrijkste medewerker van BBB.

Ernstig kijken ze, dat moet wel, anders houden ze het niet lang vol... ze stikken bijna van het lachen.

K. Schippers, J. Bernlef, Jan Hanlo en G. Brands (van links naar rechts), Amsterdam, 1964. *Foto Gerard Bron*

Die middag heb ik afgesproken met Meinke Horn, op het Zuidplein. Eerst loop ik nog even binnen bij Sotheby's, van het Rokin verplaatst naar de Boelelaan. Daar kun je beter parkeren. De toekomst van het veilinghuis staat door de financiële crisis op het spel. Tientallen medewerkers zullen worden ontslagen.

In juli 2001 is mijn moeder gestorven. Een paar maanden later werd hier aan de rand van de stad de nalatenschap geveild van Cruys Voorbergh, een acteur en conferencier. Ik hoor nog z'n licht hese, enigszins Haagse stem.

Tussen een kamerjas met vogels en een art-deco-pendule, alle twee uit de negentiende eeuw, daagt de toekomst. Bij de nasynchronisatie van Walt Disney-tekenfilms had Voorbergh de regie.

Als dank stuurde Disney hem een originele celluloidtekening van Jiminy Cricket, een krekel met hoge hoed en pandjesjas. Hij is het geweten van Pinokkio, met een hoge stem:

When you are in trouble
and you don't know
right from wrong
give a little whistle...

Op een afzonderlijk label schreef Disney 'to Ernee de Coningh With Best Wishes Walt Disney'. Cruys Voorbergh was een schuilnaam, dat wist Disney. De acteur heette voluit E.P.C. van Vrijberghe de Coningh.

Die tekening moest ik hebben, met m'n moeder ben ik vlak na de oorlog naar *Pinokkio* geweest. Ik kreeg hem ook, voor een spotprijs, bijna niemand bood mee.

Toen ik hem op 11 september 2001 ophing, Amerikaanser kan het niet, belde Diana, m'n oudste dochter. Ik legde de hamer neer. Heb je het al gezien, vroeg ze, twee vliegtuigen zijn net in het World Trade Center gevlogen.

Aan de overkant van de huidige AFC-velden lonkt het gebouw van ABN Amro. Komt het door een bepaalde lichtval, de rand van het trottoir of de ongewijzigde bocht van een weg?

In een taxi stap ik met een zesjarig meisje, we rijden langs de Rietveld, onderweg naar tennisvelden, aan de verlenging van de Beethovenstraat. Haar grootmoeder speelt daar en het meisje heeft haar nog nooit met een racket gezien.

Het geplok van de bal, het hoofd van het kind, van links naar rechts, plok-plok-plok, als de bal buiten het veld raakt, staat het kind op om hem te pakken.

Wat een lange lijnen! Wat een ritme en wat er dan gebeurt dat zien we niet meer. Het gebouw van ABN Amro wordt over de banen van Amstelpark en Goldstar geschoven.

In het café aan het Zuidplein praten Meinke en ik met een serveerster. In de zomer is er buiten een terras en dan geniet ze erg van de zon. Tegenover het café komen hoge gebouwen. Ze hoopt op uitstel, om het zonlicht.

Ik stel Meinke voor om naar het café te gaan waar ik champagne heb gedronken. Ik ben er een paar keer geweest met E. aan het eind van de middag. We mochten maar even blijven, het ging alweer dicht.

Eerst denk ik: er zit verder niemand, waarom ook, wie zou er moeten zijn. Dan zie ik in de verte, het is een redelijk groot lokaal, E. zitten, met een vriendin. En zij ziet mij.

We schieten in de lach, ze vertelt dat de vriendin straks de trein neemt in Station Zuid. Ach, dacht E., eerst nog iets drinken, in dit café, laten we daar maar heen rijden, ze kende het nu.

Meinke en ik verlaten het café weer. Het gesprek van het andere tweetal kunnen we toch niet meer inhalen. Ik ben ontroerd, werkelijk ontroerd. De terloopse ontmoeting met een geliefde of een bekende, zomaar, zonder dat je eropuit bent, zo'n achteloos voorval, dat ontbreekt op de Zuidas, en je weet het pas als het, heel heftig, toch een keer gebeurt. Of zijn zulke voorvallen er voor de mensen die hier wonen en werken, al langzaam in geslopen?

Ik denk aan *Playtime* van Jacques Tati. Monsieur Hulot heeft een afspraak met een man in een gebouw van glas. Hij kan hem door alle weerspiegelingen maar niet te pakken krijgen. Hulot taxeert elke wand verkeerd. Soms is die niet eens van glas. Pas later, als hij de man niet meer zoekt, komt hij hem tegen. Die laat op een straathoek z'n hondje uit.

Het Gustav Mahlerplein in de schemer. Een filmploeg is aan het werk. Gedraaid wordt er nog niet. Geen idee wat ze hier opnemen, de acteurs lopen tussen de andere leden van de crew. We wachten nog op een paar kartonnen leeuwen, zegt de cameraman tegen ons. Dan moet het wel een commercial voor een bank zijn.

'Hé, Meinke,' roept de man van de decors, 'wat doe jij hier?'

Lachend vallen ze elkaar in de armen, in het halfdonker. Ze kennen elkaar al zoveel jaren van een plaats in Noord-Holland, aan de kust en dan ineens weer hier.

Ik loop terug naar de Stadionstraat. Daar hebben ze op me gewacht. Henk speelt 'Brands' Blues' op een half kaduke piano en Gerard vertelt er dwars doorheen dat Lichtenberg beleefd zijn handschoen uittrok als hij iemand de weg wilde wijzen.

Henk is uitgespeeld. Applaus.

'Banjo is ook een van de troostdingen van het leven,' zegt Jan, 'goed banjospel.'

'O ja?' vraag Gerard.

'Balalaika juist niet, zou men kunnen zeggen.'

'Heb je balalaika gespeeld?' vraagt Henk.

'Nee, ik heb wel geklepperd. Banjo troost, balalaika laat gaan... 't is eerder een genezing of een sterven dan een troost.'

Ik vertel iets over de Zuidas.

'Er zitten vast geen appelvinken,' zegt Gerard, 'zag er vanmorgen nog twee in 's-Graveland.'

'Die zie je niet vaak,' zegt Jan.

'Nee, een blauwgrijze nek. De borst is roodbruin. Keel zwart en de iris is wit.'

'Roept-ie niet tsjiek-tsjiek,' vraagt Jan, 'bij ons in het Geuldal wel.'

'Hij maakt er een simpel liedje van.'

'Dit vond ik hier vlak in de buurt,' zegt Henk.

'Wat?' vraagt ik.

'Op het trottoir.'

Henk laat het rondgaan.

9 jaar met srake rok en
met kurke rok onder haar
rok   haken
nog een sokjes
en nog een de die pop
zo is zij een mode pop

'Als je dat leest, valt de hele last van de poëzie van je af,' zegt Jan.

'Verklaar je nader,' zeg ik.

'Denk aan een geschilderde zeeslag naast een stukje papier aan een draadje. Dat laatste is dit gedicht.'

Verhuisd

Het is zo nieuw dat het nooit oud zal worden. Dat zegt haar moeder over het dorp. Haar knuffel ruikt naar soep. Het is een beer met zo'n lekkere rulle vacht. Er viel een beetje op zijn oor, van haar lepel en toen heeft ze het weggestreken.

Dat lukte niet helemaal. Door de geur is het net of ze nog op is, die hoort bij de avond. Maar ze heeft al geslapen. Vast een paar uur en ze moet proberen weer in slaap te komen. Haar zus Trix slaapt bij haar moeder. Midden in de nacht naar haar toe gelopen. Doet ze altijd. Ze is nog zo klein.

Soms voelt Roos zich te oud voor de beer en soms ook niet. Ze likt over z'n voorhoofd en nu proeft ze iets heel anders. Zout. Het glinstert als je het dier schuin onder een lamp houdt en ook als er een zonnestraal op valt, alsof die de zoute korrels zoekt.

Het zout van de zee was zo dicht bij hun witte huis, achter de duinen, in het noorden. Daar proefde je het niet eens meer. Het was overal. En nu proeft ze het wel. Ze zijn verhuisd. Haar ouders konden voor het witte huis zoveel geld krijgen dat ze het verkochten.

Haar moeder stribbelde eerst tegen. 'Waarom blijven we niet?' had ze gevraagd. 'Ik zal de zee missen en de kinderen kunnen nooit meer uitwaaien aan het strand. Ja, jij ziet de zee toch wel.'

Haar vader is stuurman op de grote vaart. Hij wilde dichter bij de haven wonen en had gehoord over de nieuwe huizen in De Volgerlanden. Het was daar open en wijd. Eerst stonden er kassen en boerderijen en die zijn nu weg.

Ze doet het gordijn open en kijkt naar buiten. Even moeten haar ogen aan het donker wennen. Dan ziet ze de huizen schuin in de verte tevoorschijn komen. Links staat haar eigen school.

Ze ziet wat ze al heeft gezien. 's Nachts is het anders. Het grote veld aan de overkant, recht tegenover haar huis. Modder en zandhopen. Het was eerst een polder. In het dorp moet nog zoveel worden gebouwd.

Gordijn iets verder open. Op het hele veld komen huizen, een heel blok. Zij woont op nummer 7 en zo telt het naast haar 9, 11 en zo verder.

Aan de overkant komen de even nummers. 2, 4, 6 en die zijn er nog niet. Overal hopen zand. Nergens een huis en toch ziet ze de nummers al, terwijl ze kijkt in het niets.

De zoute vacht langs haar neus. Heel zacht, heen en weer. Waar de huisnummers komen is het nu zo licht. En over wat er wel is in het dorp weet ze ook niets zeker. Niet ver van de school is de noodsuper, met een plat dak. Die blijft niet, gaat weer weg. Even verder komt een echt winkelcentrum.

Nu mist ze het zo erg wat ze steeds al heeft gemist. Even houdt ze haar hoofd scheef om te zien of de jongen er aankomt. Hij kan er niet zijn en toch kan het. Geen auto waarin hij zit. Geen fiets, Tim kan zo leuk bellen. Dan is hij er ineens zonder dat je hem aan hebt horen komen. En ook geen vlugge voetstappen, hij komt er niet hijgend aan.

Roos doet het gordijn dicht. Het meest mist ze zijn rode haar. Hij woont aan de weg bij de duinen. En zij hier, heel ver van hem af, in het niets. Als hij naar haar toe loopt, ziet ze eerst iets roods bewegen tussen de dichte bladeren. Boven het tuinpad. Nog voor hij er helemaal is.

Ze is lang voor haar leeftijd. Als je haar van verre in het dorp ziet lopen, daar bij de school, zou ze ook vijftien kunnen zijn. Laatst heeft ze thuis op de gang staan luisteren, '...net of haar geest haar lichaam nog moet inhalen,' zei haar vader. Haar moeder antwoordde niet.

Ze kijkt bij de school naar binnen. Een man is het lokaal aan het schoonmaken. Wat zou Tim het hier leuk vinden. Hij is zo technisch en hier krijg je met de laptop foto's en landkaarten op de muur. In de school aan de kust zijn alle platen nog van karton.

Soms belt zijn moeder op en dan krijgt ze Tim even aan de telefoon. Zo kort. En ze zijn nog niet eens hier geweest, kijk, blauwe dakpannen. Hij tekent veel, in kleur, om te maken wat er nog niet is.

Soms knipt hij wat hij heeft getekend weer uit. Een boom, die staat hier ook, net zoals hij hem zou tekenen. Een wolk, knip-knip, de zon, knip-knip-knip, kijk maar naar de lucht boven het lege land.

Dat plakt hij op een ander vel, de boom, de wolk, de zon. Ze steken iets van het papier af. En dan tekent hij daar weer dingen omheen. Hij kan het zo goed, water, gras, witte huizen, ze voelt hem in haar borst, als toen ze hem zoende. Heel fel, één keer.

Er is een kans. Haar moeder liet een paar folders van De Volgerlanden zien aan de moeder van Tim. Ze ontwerpt kostuums. 'Ik zou er ook wel willen wonen,' zei ze, 'ons huis in de duinen is wel mooi, maar oud, zo oud...'

'Doe het dan,' riep Roos, 'doe het dan.'

De moeder van Tim had Roos lachend aangekeken. 'Bij jullie is alles nieuw,' dat had ze ook nog gezegd. Maar volwassenen zeggen zoveel. Meestal komen ze er nooit meer op terug. Ze zeggen ook vaak: we bellen nog. Bij het weggaan.

Ze loopt en rent het hele dorp door en zoekt van alles voor hem. Hier kan ze met Tim door de houten laantjes achter de huizen rennen en dan met je vingers langs de planken, r-r-r-r-t, r-r-r-r-t, met twee handen. Vlug nog een keer, met hem worden het er straks vier, r-r-r-r-t, r-r-r-r-r-r-t, r-r-r-r-r-t, r-r-r-r-r-r-t.

Grassige bosjes waar zo goed als niets is. Of ze het zo lege dorp zelf verder kunnen bouwen, kleuren en tekenen, maar dan in het echt. Zoveel laantjes waar ze hem kan zoenen. Dan zien de mensen je niet als ze op de weg lopen.

Ze gaat bij de Info naar binnen. Daar staat het hele dorp op een tafel. Ze is er al zo vaak geweest, om te kijken naar een huis voor hem. Bij de duinen is het zo oud, zo oud.

Ze zoekt het veld met de nog niet bestaande huizen, 2, 4, 6. Hé, wat gek, in het klein is het wel volgebouwd. Een heel blok. En dan is het binnen dat blok weer leeg. Daar komt zeker een tuin.

Het is er en het is er niet. Ze rent over het lege veld, in het echt. Hier moet hij komen wonen, in het niets, recht tegenover haar huis. Waar eerst grutto's in de polder liepen

De Volgerlanden, 2008

en kassen met tomaten hebben gestaan. Misschien rent ze nu wel door zijn slaapkamer heen.

Ze neemt de achterdeur, 'je bent net een kat,' zegt haar moeder, 'die moet ook alles eerst zien.'

'Doe een beetje gewoon,' zegt Roos.

'Ze komen morgen.'

'Wie?'

'Tim en z'n moeder.'

'Niet waar.'

'Wel.'

'Waarom zeg je dat dan niet meteen,' en nu vlug eroverheen praten, 'heeft pappa nog gebeld?'

'Vanuit Kopenhagen. Trixje heeft nog met hem gepraat.'

'Je bedoelt zeker dat ik niet zo lang buiten had moeten zijn.'

'Misschien wel.'

Even later lachen ze weer. Mamma pakt haar portemonnee en haar sleutels. Ze liggen hoog in de boekenkast.

'Je hoeft ze toch niet meer zo hoog te leggen,' zegt Roos. Ze komen, ze komen, suist het in haar hoofd.

'Vroeger pakten jullie die altijd.'

'Kan best wat lager,' lacht Roos, 'Trix kijkt er ook niet meer naar om.'

Moeder heeft haar jas al aan. Ze beweegt haar hand op en neer, met de portemonnee en de sleutels erin.

'Ga je mee naar de grote winkel?'

Ze gaat vast een jurk kopen en dan zou Roos best meewillen. 'Nee, ik moet nog iets doen.'

Moeder heeft Trix meegenomen, Roos loopt naar buiten. 'Jippiiiie,' roept ze, 'jippiiiie,' even niet dat gevoel van thuis moeten komen. Ze blijven vast wel een paar uur weg.

'Hoera, het is een meisje' staat er op een huis aan de

lange laan. Een stuk verder zijn er op de rotonde grote roestige blokken op elkaar gestapeld. Heeft Tim gedaan en dat zal ze morgen tegen hem zeggen. Helemaal opgetild als een gewichtheffer. Dan lacht hij en ziet ze het spleetje tussen zijn voortanden en dat zie je weer niet als ze hem zoent.

Tims oor tegen de grond, om de trein te kunnen horen. De straten hebben de naam van kersen, dadels, amandelen, olijven, die zullen ze plukken en opeten. Hij blijft hier slapen. Ze gaan vast niet terug.

Wonen en slapen, het klopt in haar hoofd en het bonst in haar hart. Het gevoel helemaal nieuw te zijn. Blijft slapen met haar. Mooi is het hier en niet mooi met al die zandhopen. Mooi is mooier samen met hem. En als hij niet komt moeten ze de hele Volgerlanden maar naar de duinen verplaatsen. Er is nog plaats in de zee.

Tims moeder, voor haar moet Roos iets doen. Een slimmigheidje dat ze hier nooit meer weg wil. Ze ontwerpt kostuums voor het toneel en voor filmactrices. Heeft het haar zo vaak zien doen.

Soms mag Roos helpen. Gewoon aan de keukentafel. Iets borduren op een mouw. Of een knoopsgat verlengen. Tim is niet tegen meisjeskleren. Ze trekken samen jurken en rokken aan. Uit de verkleedkisten op zolder. Zoveel keus. En dan voor die reusachtige spiegel.

Ze rent hijgend naar binnen. Zoekt in een naaidoos naar wol en draadjes. Heel vlug, zoals je dat handen van dichtbij wel in een film ziet doen. Genoeg, weer weg en terug, nu nog de zwarte schaar. Meer heeft ze niet nodig.

Rode draadjes knopen aan de twijgen van de grassige bosjes. Mag zijn hand eraan schrammen. Het bloed likt ze eraf. Blauwe aan de struiken op het veld zonder 2, 4, 6 en dan weer rode aan de paaltjes vlak bij de grond.

Het wordt een speurtocht zonder dat je iets geks hoeft

te doen. Ze zal straks vader op zee bellen. Als hij maar niet stuurt. Hij is erg goed in speurtochten. Dit keer zijn er geen vragen. Niemand hoeft slim te zijn.

Tien rode draadjes aan de noodsuper. Die laten de mensen wel hangen. Geel, blauw, groen aan de roetsjende planken van de achterlaantjes. Dan lopen ze daar ineens met z'n allen en is er zoveel kleur.

Alle kleuren van de regenboog aan het mooiste laantje. Aan dat hek met de witte punten van het villaatje. Het hele dorp wordt aangekleed. Ook de school. En dan zal de moeder van Tim het zeggen, 'wat mooi, waarom gaan we hier ook niet wonen?'

's Nachts kijkt Roos naar buiten. Met de beer op haar arm. Overal sluiers. De draadjes in de wind. Ze ziet er een paar, lang niet allemaal. Morgen komt hij. Voorgoed.

Het wonder van Barcelona

De binnenplaats van het vroegere klooster is bezaaid met tafeltjes. Ze zijn allemaal bezet. Ik eet *butifarra*, het Catalaanse oergerecht, braadworst met witte bonen. Het kost zo goed als niets.

Het is warm, over de dertig graden. Wordt er naast mij nou Spaans gesproken? Catalaans met al die x'en hoor je niet. Vrolijke mensen uit de buurt, de lunch duurt hier lang, wat doen ze, kantoorbediendes, journalisten, het kan van alles zijn.

M'n eerste reis naar Barcelona, samen met Gerard, in 1957. We spraken redelijk goed Spaans, een facultatief vak dat tussen de middag door G.P. de Ridder werd gegeven. Als de klas zich stilhield, viel hij in slaap. Iedereen liep op z'n tenen naar de gang, totdat er niemand meer zat.

Het grote lokaal had twee deuren. Op een dag verliet De Ridder de klas door de achterste deur, om krijtjes te gaan halen. Op de andere deur werd geklopt. 'Binnen,' riep iemand. De deur ging open, 'pardon, ik wist niet dat hier lesgegeven werd,' zei hij en verdween weer op de gang. Als ik Spaans hoor moet ik aan die twee deuren denken.

Ik neem een *carajillo*, koffie met cognac erin. Dan staat een man op bij een tafeltje in de verte en hij blaast op een scheidsrechtersfluitje. Een laatste slok wijn, iedereen staat op. Het hele gezelschap loopt achter de man aan, een poort onderdoor.

Ze zullen wel naar de bus lopen, die staat verderop in de straat, om terug te rijden naar hun woonplaats, misschien wel honderden kilometers hiervandaan.

Ik heb hier een week geleden een gemeubileerde flat gehuurd in de Eixample, de wijk die in het begin van de vorige eeuw acht dorpen met de kuststad Barcelona verbond. Het begin van de metropool zoals we die nu kennen.

De flat ligt op de eerste verdieping van een huis in de Calle Bruch, vlak bij het vroegere dorp Gràcia. Langwerpige kamers, achter elkaar. Een piepkleine lift met harmonicatraliewerk. Onder aan de marmeren trap is een kamertje voor de conciërge, ter grootte van een niet eens zo diepe kast.

Het licht in de flat doet me denken aan zo'n appartement in een film noir uit de jaren vijftig. Pas later merk ik dat er door de kieren van de ramen veel stof binnendringt. Het is verkeersvuil, niet tegen te houden in een wereldstad.

De Sagrada Familia, het Parque Güell en de mahoniehouten slingers bij een apotheek of een chocolaterie, ze maken nog steeds veel indruk op me, net als de art-decoletters op een slagerij of een café.

Dit keer is het of de stad me steeds een andere kant op stuurt, zonder dat ik er moeite voor doe, met scheve voorvallen die horen bij de in reizigers veranderde buurtbewoners en bij de dubbele deur van G.P. de Ridder.

Op het gazon aan de boulevard vlak bij de haven wordt het gras onder een dreigende lucht door een sproeier verfrist. Het ding draait in de rondte met tussenpozen, soms snel, dan weer langzamer, alsof de sproeikop op adem moet komen. Nooit kun je voorspellen welke kant hij op zal gaan.

Dan barst het onweer los en toch laat de sproeier het er niet bij zitten. Z'n kracht kan niet op tegen het geweld van de wolkbreuk, tussen al die stralen door zoekt hij met waaierende uitschieters z'n weg, teder water, niet kapot te krijgen.

Niet ver van dat gazon koop ik een paar schoenen, wit linnen, met blauwe stukjes leer bestikt. Als ik naar de strepen in de rubberen zolen kijk, zegt de verkoper dat ze van autobanden zijn gemaakt. Een cirkel verandert in een zool.

Een en al verandering in Barcelona en ik weet niet dat dit nog maar het begin is. Het echte wonder van Barcelona moet nog komen.

Een namiddag, in Casablanca draait een Amerikaanse film, *Down by Law*, van Jim Jarmusch. Kijk, de Nederlander Robby Müller is de *director of photography*. De zaal is halfvol, de originele versie, met Spaanse ondertitels.

Huizen in New Orleans, krullerige daklijsten, waranda's met zuiltjes, zo begint het. Zwart-wit, de camera rijdt langs de huizen en je hoort een song van Tom Waits. Hij speelt zelf een hoofdrol, begrijp ik, samen met John Lurie en de Italiaan Roberto Benigni. Ik heb ze alle drie nog niet eerder in een film zien spelen.

De pooier Jack (Lurie), de dj Zack (Waits), ze worden gearresteerd voor misdaden die ze niet hebben begaan, een lijk in de bagageruimte van een auto of een minderjarig meisje dat in de prostitutie wordt gehaald. Overzichtelijke oorzaken van overbekend leed.

Naakte bovenarmen, liggende meisjes die iets naar hun beschermer schreeuwen. Ondanks alle ellende blijft de toon vrolijk. Jurkjes en T-shirts worden uitgetrokken, iets anders wordt aangedaan.

Wat later komt Roberto Benigni er in de gevangenis bij. Onder z'n Engels hoor je z'n Italiaans, aan één stuk door. Twee Amerikanen en een Italiaan achter een wand van hoge tralies, hoe komen ze er ooit weer uit.

Ik weet dan al dat ik niet alles zal onthouden, het grote voorrecht van de genietende bezoeker. Je ziet de film bijna met opzet soms maar half-en-half, niemand zal je erover ondervragen.

Jim Jarmusch laat niet zien hoe ze eruit komen. Je ziet ze ineens een riool uit hollen en dan proberen ze per boot en gewoon lopend een moerasbos in Louisiana uit te komen, een landschap waar je nauwelijks aan kunt ontsnappen.

'Hoe groot is een alligator?' vraagt Roberto in z'n Italiaanse Engels.

'Drie keer zo groot als jij,' antwoordt Jack verveeld.

De jongens bereiken de bewoonde wereld en die bestaat uit één huis. Jack en Zack, 'my friends,' zegt Benigni steeds, durven niet naar binnen, overal loert gevaar. Dan moet Roberto het maar doen.

Hij komt niet terug en als de twee anderen steels door het raam kijken, zien ze dat hij achter een gedekte tafel zit en in tien minuten verliefd moet zijn geworden op de bewoonster, ook een Italiaanse.

'Je gelooft je ogen niet,' zegt Zack.

'Hij is niet van deze wereld,' zegt Jack.

Mooie film, denk ik buiten, spannend en geestig, goed gespeeld. Mooi zwart-wit, dat licht van Robby Müller, spekkig en ook een beetje vloeibaar. En tegelijkertijd is het of ik iets oversla, of iets me is ontgaan, al heb ik er met m'n neus bovenop gezeten.

De volgende dag ga ik nog een keer. Op het verhaal hoef ik niet meer te letten, misschien komt er iets anders vrij. In het begin komt Jack 's nachts naar buiten. Op de waranda zit een vrouw op een schommelstoel voor zich uit te kijken, naar de sterren en naar het huis tegenover haar.

'Wat zit je te doen, Julie?' vraagt hij.

'Ik kijk hoe het licht verandert.'

Zomaar een opmerking, ik bijt me erin vast. Donker is

het, een paar meubels lichten op door de lamp boven het terras. Müller heeft het nachtlicht dienend en zo reëel mogelijk willen filmen, dat dacht ik eerst. Nu ik er voor de tweede keer zit, gebeurt er iets anders. Het licht bij het huis wordt de hoofdzaak, alsof er niets anders meer bestaat.

Het verhaal doet er nauwelijks nog toe. Zack begint een zwart T-shirt uit te trekken. Je ziet hem op de rug, daar heb je z'n witte onderhemd, nu nog de mouwtjes langs z'n armen. Het is of niet Zack, maar het licht zelf het T-shirt uittrekt. Licht en schaduw komen in de plaats van katoen.

Zo gaat het door. Het licht draait de vriendin van Jack om, ze doet het zelf niet, het steeds wisselende zwart-wit op haar knieën, haar bovenarmen en in de krinkelige holtes van haar jurk. Het haakt zich vast in de dialoog, alsof het elke mededeling in zich op kan nemen, het verklote, het vergokte licht.

Hoe benoem je het licht bij een voorval? Je ziet het onder je ogen gebeuren. Kletsend licht, en even verder, in de armoedigste vertrekken, het licht als pooier, als hoer. Een leuke meid ook, dat licht, als het hard rent, stopt, zich omdraait en openlijk lacht. Het is zo gehaaid in alle nuances van de beweging, kijk, het houdt zich net even in bij het verzetten van een voet – om hoogst venijnig weg te schieten als er moet worden gevlucht.

Nergens welkom, dat licht van Robby Müller, wat het ook doet, het kantelt als voetstap, grijnst bij een open deur, vraagt om een vuurtje en krijgt het niet, het wacht onrustig in een hoek. En intussen vergeet het nooit dat het eruit moet blijven zien als een ongenode gast, die aan elke beweging iets ongemakkelijks geeft, of je nu stilzit of rent. Op het eenvoudigste gebaar rust een verbod, zo'n gast krijg je nooit meer weg.

De tralies van het licht. Als Jack en Zack een tijd in hun

cel zitten, begint de dj Zack te hallucineren. Vreemd is dat niet, al maanden gevangen, je ziet het aan de telstrepen op de muur. Zack twijfelt aan zijn hele omgeving, letterlijk, hij zegt het hardop, misschien bestaan ze wel niet, de muren, de vloer ook niet, geen tralies.

Korrelig steen, het is in licht veranderd, kijk, de vloer, een veld van schaduwen en lichtplekken, de tralies hebben voor het donkerste deel gekozen.

Als de drie vrienden het moeras in vluchten zijn de bomen, zo ongelijk van lengte, niet langer het decor, als in een gewoon verhaal. Het zijn de afgezanten van het licht, elk blad wordt met een andere schakering verbogen, zelfs beneden, aan de stam. Niets kan nog zonder dit licht bestaan.

Op het scherm van een Catalaanse bioscoop voltrekt zich een wonder. De vrienden raken van elkaar los, Roberto verschalkt een konijn en roept ze terug. Hij roostert het dier en dan komt het, de mooiste zin van de film.

'Proef maar,' zegt hij, 'proef maar...'

Ze tasten toe, proeven niet alleen het vlees, er gebeurt ook nog iets heel anders: ze proeven van het licht. Pas nu er wordt gegeten, zie je wat er in de hele film gebeurt. Je proeft van het licht, steeds weer, of er nu wordt geschoten, gekust of gevlucht.

In de hal kijk je even naar de foto's en kritieken, ze hangen in de vitrines aan de wand. Ben alweer buiten, op de Paseo de Gràcia, en als ik daar loop, is er iets aan Barcelona veranderd.

Denk eerst dat het aan mij ligt, nee, ik ben erdoor omgeven, een zwoel en spekkig licht. Het raakt de etalages en stompe straathoeken. Anders is de stad nogal springerig gekleurd, ongeveer zoals het klinkt in Batllò en Milà, de huizen van Gaudí.

Casa Batllò loop ik voorbij, de torens zijn in het zwart-wit van *Down by Law* gehuld. Niet overal dezelfde sterkte, maar met verschillen, zoals een zwart-witfoto van geel er een paar tinten lichter uitziet dan het zwart-wit van blauw.

Het licht van Robby Müller, ’t vloeit over de veters van m’n schoenen, over het linnen en de daarop gestikte blauwe reepjes leer. Ik koop een brood, ga met het brood onder m’n arm een café in, zomaar, om even te kijken, had ook ergens anders naar binnen kunnen gaan.

Schaduwen op gezichten, bedeesd licht onder de tafels, het wil verdwijnen en dan gaat het zwart-wit me toch tekeer over de krinkels en bij de plooien van de overhemden en jurken, alsof het nooit meer iets anders zal doen, net als in *Down by Law.*

Proeven hoef ik niet meer te nemen, het zwart-witte licht is overal. Het banjert over de Diagonal en in z’n sleep trekt het alles mee, de wandelaars, de spaarzame fietsers, de kastanjes op de roosters van de brandende vuurpotten. Ook het blinkende aluminium van de bij Vinçon geëtaleerde dozen en dienbladen krijgt er een lik van mee.

Het is niet eens zo ver naar de hoogste top van Barcelona. Met het kabelbaantje ben je er zo. Onder je botsen de geluiden tegen de gevels, de tram, claxons, een echo is een afdruk in zwart-wit van een geluid in kleur.

Tibidabo, het lunapark, boven op de heuvel, met speelgoedachtige automaten. ‘Shall I protect you?’ vraagt de pooier Jack aan een vrouw of misschien wel aan het licht. Hier hoeft niets meer beschermd te worden. Het zwart-witte licht zweeft mee in een vliegtuigje en laat een clown van blik z’n naam schrijven, in een negentiende-eeuws cursief.

Pas dan kijkt Robby Müller naar beneden en dan krijg je Barcelona in haar wijdste totaal. Met al dat verkeer wordt de stad anders door een lichte nevel bedekt, de reizigers op weg naar hun bus, de Calle Bruch, ook al die schoenenwinkels, of een bord met butifarra.

Het zwart-witte licht, hij kon het uit een bioscoop laten ontsnappen. Daar hangt het over de hele stad.

Langspeelplaten

In Brussel gebeurt het zomaar, zonder dat je erop verdacht bent. Je komt uit het Centraal Station, slaat een paar hoeken om en je denkt al aan de mosselen die je op een straathoek zal gaan eten. Een man in de stad, tot zover is alles min of meer gewoon.

Plotseling loop je dan langs een etalage met 'Pioneers of US Comics' en even later zie je ze binnen in het echt. Dit is niet eens het grote stripmuseum, maar La maison de la bande dessinée.

Hele in kleur opgemaakte krantenpagina's met *Little Nemo in Slumberland* van Winsor McCay, uit het begin van de vorige eeuw. Die zie je anders nergens. Even verder hangt *Rip Kirby* aan de muur, de detective van Alex Raymond, op een wat kleiner formaat, vlak naast *Blondie*, ze doet de afwas.

Daar heb je Sjors van de Rebellenclub, maar dan onder z'n Amerikaanse naam Perry, het broertje van *Winnie Winkle the Breadwinner*, zoals de strip van Branner over een wufte jongedame, de grote zus van Perry, eerst heette.

George Herriman, de vader van Krazy Kat, ontbreekt hier niet. Samen met de muis Ignatz en de hond Offisa Pupp staat Krazy voor een muur met een grote letter B erop.

'Is there anything but B there, offisa Pupp?' vraagt Krazy en hij wijst naar de muur.

'No just a B,' zegt de politieman. Zo komt de a toch nog voor de B, al zie je hem niet op de muur.

George Herriman, *Krazy Kat*, 24 augustus 1935
(uit: *Pioneers of US Comics*, 2012, blz. 21)

Ik woon ruim twee weken in de stad. Tot nu toe is het uitzicht op het plein het mooist, vanuit m'n langwerpige flat op de tweede verdieping. 's Morgens vroeg wemelt het er van de kinderen, tussen zes en zestien, sommige met een bijna te grote rugzak. Je ziet ze scheef van boven, in een hoek van 45 graden, dit perspectief heb ik op de stadsfoto's van de Hongaar Moholy-Nagy leren kennen.

In groepjes van twee, drie gaan ze een straat in met alleen maar scholen. Ze lopen zo prettig slordig, niets hoort bij iets anders en toch ook weer wel, als een kind een groep verlaat en zich al dan niet rennend bij een paar anderen aansluit.

Ik heb me losgemaakt van de stripwinkel en loop een eind verderop in de rue de la Bourse, de Beursstraat. Vlak naast Le Cirio, een van de oudste cafés van de stad, is de platenzaak The Collector. In de etalage tegenover de beurs zie je alleen langspeelplaten, 33 toeren, 'dat u die nog heeft,' zeg ik tegen de eigenaar, 'of zijn ze weer in de mode?'

'Bij mij zijn ze nooit weg geweest,' zegt de man geërgerd, 'en ik sta hier toch al dertig jaar.'

Nederlands, goed gegokt, geen Frans. Binnen heeft iemand de mooiste jazzmuziek voor je opgedolven, zo voelt het, een goudader met solo's van Monk en vergeten nummers van Billie Holiday.

Het is een heel gedoe met een koptelefoon aan een luisterbar. Op één concert hoor ik hier wel totaal verschillende klanken. De klarinet van Pee Wee Russell en de trompet van Henry Red Allen, oktober 1966, het College Concert in Cambridge, Massachusetts. Eerst Pee Wee's burleske bopmuziek met veel slimme stiltes en dan het New Orleans van Allen, met een extra scheut swing erin.

Beneden in de kelder vind ik een lp met de muziek uit *Young Man with a Horn*, het levensverhaal van de trompettist Bix Beiderbecke. Kirk Douglas speelt Bix, Hoagy Carmichael is z'n pianospelende maat. Doris Day zingt met die hese stem 'I May Be Wrong', 'With a Song in My Heart' en 'Too Marvelous for Words'.

Ik koop de twee platen en krijg het met de baas nog even over het verschil tussen de cd en de lp, klinkt de laatste beter, dieper of niet?

'Als je het wilt, dan hoor je het,' is zijn diplomatieke antwoord.

Bij het laatste loopje langs de bakken vind ik Billy Eckstine, de zanger van wie ik samen met Gerard altijd erg heb genoten, vooral in de duetten met Sarah Vaughan.

Z'n bronzen stemgeluid, dat moet ik horen, wacht, het is z'n orkest uit '46, vast met Charlie Parker en Dizzy Gillespie. Ik luister, kijk vlug op de hoes. Veel onbekende namen, Eckstine zingt, duivelse trompetten, ladylike saxofoons.

Entertainment, aangelengd met avant-garde, eerste melange. Eckstine wist hoe je de nieuwlichters aan een met hun idealen verwant baantje kon helpen.

Eckstine, Pee Wee Russell, Doris Day, als een rijk man steek ik de boulevard Anspach over, genoemd naar een burgemeester uit de negentiende eeuw. Op de hoek van de Oude Graanmarkt en de Sint-Katelijnestraat laaf ik me buiten aan de witte wijn en de mosselen, in de zon, bij een restaurant dat alleen maar Noordzee kan heten.

Dan loop ik naar mijn flat, drie minuten van dit sta-terras. In Brussel probeer ik een bundel met verhalen samen te stellen, de meeste zijn al af. De goede volgorde moet ik nog ontdekken.

Na het meisje dat is verhuisd en het wonder van Barcelona een andere verliefdheid?

Het huis in de tuin had een rieten dak, het golfde omlaag, je zou er met je hand overheen willen strijken. In de gang, in de hal moest je hier zeggen, zou met gemak een speelgoedtrein kunnen rijden, het liefst Märklin, die was net echt.

En even verder:

Je hoopte dat ze in de buurt was, dat een stem, stommelvoeten, een schim aan het eind van de gang, dat 't bij haar hoorde, dat ze nu zo voorbij kon komen zonder dat ze wist dat jij daar stond.

Iets te vroeg misschien. Of hier al het model van Balthus, heb haar kortgeleden ontmoet in de Morvan, een bergachtige streek in de Bourgogne.

Even later staan we in de kamer waar Balthus haar als zestienjarige in 1955 heeft geschilderd. Je ziet haar op de rug, ze kijkt over haar schouder naar buiten, voor de openstaande ramen... één been opgetrokken, het rust op een stoel.

Ik leg de map weg en ga theezetten op een elektrisch fornuis, vergeet bijna het uit te doen. Gerard en ik hoorden op een 78 toerenplaat, met zo'n felgeel etiket van Metro Goldwyn Mayer, voor het eerst Billy Eckstine.

We luisterden bij een wat oudere neef van Gerard, die door ons platenneef werd genoemd. Op een grote grammofoon zong Eckstine 'Everything I Have Is Yours' en 'Time on My Hands'. Amerika, het beloofde land, daar ging het over. Hij had ons bevrijd, Eckstine zong over de bevrijding, zo klonk het, en die hadden we in Amsterdam-West meegemaakt.

In de nabijheid van Gerard wordt elke omgeving licht bespottelijk, dat vermogen heeft hij, nog steeds, zo ook die te grote grammofoon bij z'n neef, hoe mooi de muziek ook was.

Bijna dertig jaar later zoeken we Eckstine op in het Hilton Hotel in Amsterdam. Gerard wil hem als G. Brands interviewen voor zijn rubriek 'Vaudeville' in *Hollands Diep* en ik mag mee.

De zanger draagt een hemelsblauwe coltrui en om zijn hals zit een ketting met een ding dat ik nog nooit als sieraad heb gezien. Het is een scheermesje van Gillette en het ziet er scherp uit.

G. Brands zal later schrijven dat hij werd verrast 'door de donkere heer, aan wie volstrekt niet valt af te zien dat hij de zestig gepasseerd is'.

Een groot deel van het gesprek gaat over het orkest van vlak na de oorlog. Eckstine probeert dan iets te spelen, waarnaar moet worden geluisterd. Het is niet alleen meer om op te dansen.

Kunt u iets meer zeggen over de muziek die toen gecreeerd werd, ook in vocaal opzicht?

'Men was tot die tijd gewend een instrument te bespelen volgens een vaststaand patroon of met een bepaalde toon die jarenlang hetzelfde was geweest. In mijn orkest begonnen we een ander gebruik van de akkoorden te maken. Verminderde kwinten, overmatige nonen, grote septiemen en dat soort dingen.'

Eckstine vertelt dat Sarah Vaughan en hij op de basistonen van de muziek improviseerden – om de akkoorden te veranderen en de melodie een beetje anders te laten klinken dan op de beproefde manier mogelijk was.

'Men zegt wel eens dat muziekinstrumenten de menselijke stem proberen te imiteren. Hoe perfecter ze worden, hoe dichter ze die stem zouden naderen. In dat licht bezien draaiden we de zaak om en besloten de stem als instrument te gebruiken.'

Eckstine zegt dat hij bij het orkest van de pianist Earl Hines is begonnen. Van hem heeft hij veel geleerd. 'Als je muzikaal iets nieuws wilde, zei hij: ga je gang. Hij begreep wat we probeerden te doen en gaf me gewoon carte blanche.'

Die middag speelt een jonge pianist in L'Archiduc, bij mij om de hoek in de Dansaertstraat. Het café bestaat deze herfst vijfenzeventig jaar. Miles Davis speelde er, de pianisten Nat King Cole, René Urtreger en Bill Evans, de gitarist René Thomas, de saxofonist Bobby Jaspar. De niet zo grote gelegenheid heeft een art-deco-interieur. Er wordt gezegd dat het in het begin een bordeel was.

De pianist probeert van alles, hij haalt het, soms mislukt het grandioos, 'het geweldige van muziek is dat er steeds weer nieuwe wegen mogelijk zijn. Het is een voortdurende studie.'

Dat zei Eckstine tegen G. Brands en je hoort het hier. Muziek verlangt soms hevig naar een gezicht. Daar zit Anna Luyten met haar dochter zeker, van een jaar of dertien, in een hoek van het volle café. Anna heb ik eerder op een avond bij de boekhandel Passa Porta ontmoet.

Ze vertelde me toen dat ze vorig jaar in Oostende Henk Bernlef heeft geïnterviewd. Hij schreef een in memoriam, over zichzelf, alsof hij er al niet meer is. Dat las hij voor. Daarna had ze met hem een openbaar gesprek over herinneren gevoerd.

We gingen er die avond in Passa Porta niet op door. Het in memoriam kende ik. Dit voorjaar kwam het in z'n bundel *Help me herinneren.* 'Het is mij vreemd te moede nu ik de beste vriend van mijn leven kwijt ben geraakt', zo begint Henk het stuk over zichzelf.

Het is pauze, ik wenk Anna Luyten. Ze komen bij ons zitten. We krijgen het over haar journalistieke werk, de spannende buurt bij de Stalingradlaan, waar ze woont, en de andere geheimen van de stad, 'blijf toch in Brussel.'

Anna moet de volgende dag naar Marokko. Haar dochter heeft drumles. Ze vertelt vurig over de indrukken die ze in L'Archiduc heeft opgedaan.

Dan krijgen we het over andere geluiden. Haar vader is gevangenisdirecteur. Iemand herinnert zich de blikkerige klank van het bestek, net voor het nieuwjaar wordt en de gevangenen van zich laten horen.

Over bosgeluiden

Een bos maakt geen geluid.
't Zijn zij die er zich mee bemoeien,
hoefslag, klapwiek, regen en wind.

Keltisch, zestiende eeuw

Op een ochtend begint het te regenen, niet hard maar terughoudend. Zachte druppels, ze schetsen eerder de mogelijkheid van een regenbui dan dat zij zich sterk maken voor een wolkbreuk. Het is een beleefde regen die eerbiedigt dat ik hier loop.

Op een tweesprong bij een ven kijk ik om me heen, al drukt kijken te veel richting uit. De regen heeft geen voorkeur voor de plekken waar z'n afzonderlijke druppels terechtkomen: het is overal.

Ik kijk iets gerichter. De kringen in het ven overlappen elkaar. Nu ik mijn blik heb vernauwd, hoor ik verschillende geluiden die zonder de regen waren uitgebleven. Niet alleen het tikken op de bladeren en de grond, ook hoe de regen in het algemeen ruist. Daar moeten de andere klanken dan bovenuit zien te komen.

Ik strek een arm uit, mijn vingers dicht bij elkaar. De druppels vallen stuk op mijn hand. Pas nu de regen op een door mij gekozen deel van mijn huid valt, voel ik hoe mijn voorhoofd en wangen zijn verkoeld.

Mijn tong tussen m'n lippen, het water is dikker dan thuis. De regen ontlokt geuren aan het bos die bij droog weer verborgen blijven, zoals op een witte bladzij een tekening van een reiger of een varken tevoorschijn komt als je er met een potlood overheen strijkt.

Ik ruik hoe het bos wordt bespeeld, draai mij om en loop door. Het lukt de regen mij via al mijn zinnen te bereiken, ik kijk, luister, ruik, proef en tast zonder iets te hoeven doen.

Het is al bijna droog, maakt niet veel uit, ik heb geen bewijsmateriaal meer nodig. Het mag nu vluchtig zijn. Een en dezelfde gebeurtenis is mij op vijf verschillende manieren bijgebracht.

Heeft de regen samen met het bos te veel aandacht aan mij besteed? Misschien had ik ook wel begrepen dat het regent als ik het alleen had gezien en gevoeld.

Ik loop langs een kastanjeboom en hoor de laatste ritselingen van de regen op het gebladerte. Ook na afloop gaan de lessen gewoon door.

Het hert

In de tuin stond een boom met noten. Nog nooit had je ze in het echt gezien, geen winkel verkocht ze, je kende ze alleen van naam. Je kon ze oprapen en je brak ze het vlugst als je er twee tegen elkaar drukte. Als je geluk had kwam het binnenste van de noot gaaf tevoorschijn, ribbels en gleuven, lichtbruin, een beetje vettig aan je vingers. Heel groot, 't voelde zo lekker aan je lippen, je tong.

Het huis in de tuin had een rieten dak, het golfde omlaag, je zou er met je hand overheen willen strijken. In de gang, in de hal moest je hier zeggen, zou met gemak een speelgoedtrein kunnen rijden, het liefst Märklin, die was net echt.

En als je de eerste de beste deur opendeed kwam je in een kamer waar een groene tafel met een net stond, aan elke kant een batje, zo grappig slordig neergelegd, soms met een balletje eronder.

Bij ons thuis moest je eerst het kleed van de tafel halen en dan twee extra bladen uittrekken. Dan werd de tafel pas groot. Zo kwam er een gleuf op elk veld, als het balletje daarop terechtkwam kreeg je de gekste effecten.

De twee grootste kamers van de villa lagen in elkaars verlengde. Het leek wel een voetbalveld. We gingen tafeltennissen en 's avonds speelden we moordenaartje. Zo leerde je de andere kamers kennen.

Er werden lootjes getrokken. Iemand was de moordenaar, twee anderen speelden voor detective, je wist niet wie. Alleen de moordenaar mocht liegen.

Het licht ging uit, alles moest in het donker. De trap op

en dan maar kijken welke kamer je in wilde of misschien bleef je wel liever in een hoek van de gang staan. Dan kon je vlug wegrennen als iemand je wilde vermoorden.

Zoveel kamers, zoveel ruimte onder één dak en dan de dingen die je, als je een deur opendeed, even in de schemer zag. Een strijkplank, een rode sprei over een bed en als je nog een deur opendeed hoorde je het gestommel van verstopvoeten.

Je maakte dat je wegkwam, hoopte dat ze in de buurt was, dat een stem, stommelvoeten, een schim aan het eind van de gang, dat 't bij haar hoorde, dat ze nu zo voorbij kon komen zonder dat ze wist dat jij daar stond.

En toen begreep je al dat het hele huis door haar in gloed werd gezet, dat ze alles mee had genomen van toen je haar voor het eerst op vakantie, op het eiland had gezien. Hier was het altijd, deze trappen ging ze op, deze deuren deed ze open.

Kinderen eten soms zoveel omdat nog zo weinig van hen is, noten, aardbeien. Steeds zocht je haar gezicht, al probeerde je te kijken naar wie het langst iets zei, zo was het je geleerd.

Buiten hoefde dat niet, kon je lopen waar je wou, was er geen grens aan waar je mocht zijn. Je rende naar een boom net of daar iets gebeurde, je rende om te laten zien dat je het zo hard kon. Of nog iets meer, zo hield je ook afstand tot haar broer, haar drie zusjes, je eigen broer en de vier volwassenen, liet je zien dat je allang wist dat je in je eentje ergens heen kon, van niemand afhankelijk hoefde te zijn.

Je floot erbij of je zong 't zacht, net als Jiminy Cricket in *Pinokkio*, haar moeder had het gehoord, 'wat zing je... zing het nog eens.' Ze vroeg het lachend, nou vooruit,

When you are
in trouble and
you don't know
what to do...

je had de film al twee keer gezien.

Give a little
whistle, give a
little whistle...

Nu zag je het weer, hoe de jongen van hout door een vos en een ander dier naar het toneel werd gesleept, niet hier, niet hier... ze loopt wel tien, wel twintig meter van je af.

Iedereen liep dezelfde kant op over een grote vlakte. Opzij en aan het eind is het bos. Loopt ze naar hem toe, hij houdt z'n pas iets in. De anderen lopen door.

'Zie je dat?' vraagt ze zacht.

'Wat?'

'Daar... een hert,' ze pakt je arm, trekt je naar de goede kant. Met zoveel mensen een hert, dat kan toch niet. Het staat er. Stil. Tussen een paar bomen. Echt.

Ze laat je arm los. Je zit naast haar. Je kunt de ogen van het dier net zien. Je arm gloeit. Ze heeft je aangeraakt. Voor het eerst is er een plek die niet meer alleen van jou is. Ook van haar.

Ze kijkt naar het hert. Heel jong, zonder gewei. Het beweegt z'n kop door de bladeren. Heen en weer. Het zoekt iets.

Ze zegt niets. Moet jij iets zeggen? Maar wat?

Je kijkt naar je arm. Naar het hert en naar je arm. Dat er niets tegen die plek moet komen. Geen jas tegen je arm. Hoeft ook niet. Het is zacht weer.

'Vind je het niet mooi?' vraagt ze.

‘Ja.’

‘Komen jullie,’ roept haar vader. Pas dan loopt het weg. Het hert. Het weet hoe lang het daar wil staan.

De volgende dag weer naar school. Je ziet het balletje over de tafel vliegen en je voelt nog de jassen tegen je gezicht. Wat rook het muf in die kast. Het hert dat met een paar sprongen tussen de bomen is verdwenen.

Je kijkt naar je arm. Gisteravond met de bus naar huis en je zorgde ervoor dat de plek door niets werd aangeraakt. Thuis deed je er een pleister op. Vlak voor je naar bed ging. Een pleister op de plek. Dan kwam het gaas er misschien tegen. Toch was de plek beschermd.

‘Ben je gewond?’ vroeg je moeder vanmorgen.

Even wilde je alles vertellen, ‘er zwiepte een tak tegen m’n arm.’

Je loopt om vier uur naar huis. De noten en ook iets paars, dat zie je ook nog voor je, paars met wit ertussen en je weet niet eens meer waar je het hebt gezien. Of er heel veel van is, niet op één plek, overal.

Of ze ook iets paars heeft gezien, zoiets kun je best aan je moeder vragen.

‘Daar liepen we toch op,’ zegt ze.

‘Waar?’

‘Op de heide.’

De kom

Er ligt dauw op de grasmat van het tafelvoetbalspel. Gespeeld wordt er nog niet. Ik strijk met een vingertop over het strafschopgebied, geef een draai aan de doelman en loop door.

De strandtent is al open, maar er zijn nog geen bezoekers. Een dienster dweilt het nat van de ijzeren tafeltjes.

Zondagmorgen, er is zo goed als niemand op het strand, een enkel figuurtje in de verte. Heiig weer, een vermoeden van de horizon, die schuilgaat achter algemeen lichtgrijs. Hemel, zee en strand, door dezelfde tint bedekt.

Links van m'n tafeltje een wand van riet. De wind heeft de stengels naar alle kanten gedraaid, mikado zonder kleur. Vlak voor het riet liggen een paar gebleekte zeilboten. Onder de lijn van de waterspiegel ziet het geel er iets donkerder uit.

De wind rukt aan de hoge vlaggen en laat het net bollen. Straks wordt een boot op een lage kar naar de zee gereden, vliegt de bal over het net en worden de ligstoelen uit elkaar getrokken – om ze te verspreiden. De ligstoel waar de armen van de badgast in verstrikt raken en de chaise longue, klaar voor elke rug.

Er komt wat licht in het grijs, niet veel en je kunt ook niet precies zeggen waar Piet Moget het heeft geschilderd. Als het aan een plek heeft getipt, schiet het alweer ergens anders naartoe. Het licht is nog niet sterk genoeg, het grijs wint het met gemak.

Een rode cirkel met 'verboden te zwemmen'. Bij het geel wordt meer aan je overgelaten, 'gevaarlijk zwemmen', je mag het altijd nog doen. En dan het vraagteken, 'kind zoekt ouders', ook op een bord.

Met Henk stond ik op het strand van Bergen aan Zee. Er was een grote binnenzee ontstaan. Als we terug wilden, moesten we daardoorheen.

'Wat doe jij?' vroeg ik.

'Ik doe het.'

'Mag ik dan op je rug?'

Het heeft vannacht geregend. In het zand zitten hier en daar nog putjes. Hup, twee mussen. Ze pikken naar de kruimels op m'n tafeltje. Het is net of er een paar beeldjes uit hun getrippel zijn gesneden. Niets vloeit in hun rug, hun veren, hun poten, schokkende koers, een en al mus.

Wat zal je hier van de hemel, de zee en het strand onthouden. De branding, die zie je nu en vlak daarvoor rijden vijf, nee, zeven wielrenners. Hun kleuren rollen door het grijs, zwart-gele tricots en een donkerblauwe broek – de wielen snellen over het harde strand. Het wordt eb.

Zeven fietsers met zilveren helmen, die doen denken aan het figuurtje op de neus van een Chevrolet of een Studebaker. Je ziet de renners alweer op de rug en dan het gevoel dat ze nog niet weg mogen zijn, er nog aan moeten komen, als bij elke beweging die te vlug voorbij is.

Ik kijk naar de lucht. Daar is nu van alles aan de gang, alsof de snelheid van de fietsers het licht aan het werk heeft gezet.

Daar heb je de horizon. Veegjes wit boven een streep in de verte. Daaronder geeft Moget je een vermoeden van blauw met oplichtend groen erin, half bedekt door grijs. Melange van kleur, geen tint krijgt de overhand.

Er komen een paar bezoekers het terras op. Stappen op de houten vloer.

'Er zat een vlinder in m'n auto,' zegt een vrouw.

'Waar?' vraagt een andere vrouw.

'In de kofferbak.'

'Kofferbak?'

'Toen ik hem opendeed, vloog hij naar buiten.'

'Wat voor vlinder?'

'Een koolwitje.'

De bal in volle vaart over het volleybalnet en langs de hemel. Het is een prachtig punt, waarover straks nog wel zal worden gesproken. Over de lucht zal niemand iets zeggen. Die hoort bij het nooit navertelde. Waarom zou je over de kleur van de lucht en de zee beginnen, als je net een wedstrijd hebt gewonnen?

Witter nu de hemel. Een zweem van bruin in de zee.

Ik loop naar het strand en denk aan een boottocht, een paar jaar geleden op een meer. Het eind van een lange zomeravond. Een stuk of zeven mensen in een motorvlet. Een meisje van ruim twee had 's middags met een iets oudere jongen gespeeld. Ze rende hem steeds achterna. Hij was hoogstens zes. Die avond zat ze met een capuchon op, tegen de kilte, vlak naast de moeder en de jongen, vooraan, bij de voorplecht.

Lila, oker boven de zee. Er staat een haringkar bij de vloedlijn.

De jongen zong iets, heel zacht. De boot gleed door. Het was windstil. Dat zou het meisje zich blijven herinneren. De nacht, het water. In welke vorm? Niet het verhaal, dat werd een mal, waarin andere voorvallen een plaats zouden krijgen. Dat dacht ik. Een buitenkant van wat er later nog voor haar zou komen. Een kom, een beker, zonder dat je ooit weet hoe die wordt gevuld.

Hoeveel luchten heb je niet gezien, een vlieger steigert, je kijkt erlangs. De ruimte, het licht, zonder dat er iets gebeurt, steeds probeert Moget dat weer te geven.

De kleuren om de gebogen horizon en toch zit er geen richting in je blik, zo voelt het. Of je tegenover de kom staat die het meisje nog moet vullen en die bij jou al vol is geraakt met de verste gedachten.

De naakte zee. De tintelingen van in blauw gedompeld grijs met een lichtere streep blauw daarboven. En nog hoger zie je het wit, nauwelijks door grijs verzwakt.

Dit is wat je al die jaren in je hebt opgenomen zonder het te weten. Het werd weggebigd door een schip, kijk, daar, een zilvermeeuw, hij landt in een wielspoor van een renner die hier net voorbij is gereden.

Afkoersen op wat je niet opneemt en wat er toch is, je ziet het steeds maar even, zo word je verleid door alles wat op meer kan bogen.

Kijk, een man draagt een groen overhemd met korte mouwen, hij loopt me voorbij, heeft de knoopjes in de verkeerde gaten gestoken. Dat lege knoopsgat onderaan. Waar blijft bij m'n glimlach de zee?

Moget heeft de zee in al z'n tengere kleuren betrapt. Als je ernaartoe loopt, zie je dat hij geen tint een nadruk heeft gegeven. Niet het kleurgeweld van Turner. Moget wil de lege kleuren niet vullen, dan zou het lijken of ze altijd voluit worden bekeken.

De schilder doet het zo licht, zoekt steeds de halftint, die bij het vergeten hoort. Hij raakt aan de bron van elk verhaal, strijkt over de doorzichtige blouse die een vertelsel omgeeft.

Het geringste, wat nooit een hoofdzaak wordt. Veel mensen op het strand, het felle rood en geel van hun kleding. In de lucht vliegers, ballonnen en een zweefvliegtuig.

Daarachter schildert Moget door. Hier niet de trucs van wat op en boven het strand gebeurt. De wijkende achtergrond van ieders herinneringen, die maakt hij.

Het wordt iets groener bij de streep tussen lucht en zee. De bal wordt over het net geslagen en dan doemt er een beetje lila op, met blauw gemengd.

En dan gebeurt het. Het tafelvoetbalspel valt stil. In de ligstoelen wordt nauwelijks nog bewogen. De vlaggen wapperen niet meer.

Fietsen en knoopsgaten, zilvermeeuwen en vliegers, mussen en vlinders, ze geven het op, onderbreken niet meer het onmetelijke.

Alleen nog kleur in de levende kom van de hemel.

Decors

Ergens in de Onze-Lieve-Vrouwe-ter-Kapellekerk in Brussel moeten vijf stukjes van wat men het ware kruis noemt liggen. Ik kan ze niet vinden en heb geen zin ernaar te vragen. Veel berichten voor Polen op het prikbord. Ze vieren hier de mis, al jarenlang. Er is ook een monument voor Pieter Bruegel de Oude, dat vind ik meteen, de vierde nis rechts.

Je ziet *De overhandiging van de sleutels aan Petrus*, een kopie naar een werk van Rubens. M'n blik dwaalt naar de steen die de schilder Bruegel sinds 1569 bedekt. Z'n naam is zo goed als weggesleten.

De vervaging hoort bij hem, zoals op *De val van Icarus*, dat ik gisteren voor het eerst zag. Het dorp aan de andere kant van de baai ligt er doezelig bij. Het doek hangt in het Paleis der Schone Kunsten en daar heeft de Engelse dichter W.H. Auden het ook bekeken.

Dit is het slot van z'n gedicht 'Musée des Beaux-Arts', vertaald door Henk Bernlef:

In Breughels Icarus, *bijvoorbeeld: zoals alles zich*
Op zijn dode gemak van het onheil afkeert; de man
achter de ploeg
Zou de plons gehoord kunnen hebben, de verloren kreet,
Maar voor hem was het geen belangrijk verzuim; de zon
scheen
Zoals het moest op de witte benen die verdwenen in het
groene
Water, en het kostbare fragiele schip dat iets wonderlijks

Gezien moet hebben, een jongen die uit de lucht kwam vallen,
Moest ergens naartoe en zeilde rustig door.

Een schip, een huis of een schuurtje, bij Bruegel mag je ze overslaan. Je let er niet op en je hoeft er ook niet op te letten, zo gaat het in de ongeschilderde wereld ook. Hoogstens zeggen ze waar je bent.

In de Kapellekerk lees ik dat Bruegel bevriend was met Abraham Ortelius, de Vlaamse kaartenmaker. Hij heeft vast wel eens met hem gesproken over de symbooltjes voor de duinen, een bos of een paar heuvels. Het is haast net zo prettig om die op een kaart te zien als om er in het echt te lopen.

Dan kregen ze het ook over de delen van de kaart waar niets gebeurt, tussen twee steden of vlak onder een meer. Mij ontgaan de spreekwoorden die Bruegel, zegt men, zo overvloedig in z'n steden en landschappen heeft verbeeld.

Ik verlaat de kerk en het is net of ik over een onbekend gezegde heen stap. Betekenis die je niet opvalt is een vorm van vrijheid.

Boven een winkel in de Kapellestraat, recht tegenover de kerk, hangt zoveel dat je de naam van de zaak tussen al die voorwerpen niet kunt ontdekken. Een spreuk, die wel, *1200 m² de décoration.*

Er hangt een reddingsboei aan de gevel, naast wel twintig stoelen met de ranke poten tegen de spiegelruit en dan een stationsklok die nog loopt, alsof het hem niet kan schelen op welke plek hij de tijd aangeeft.

Tussen een 1000 cc-motor en radiatoren van een centrale verwarming loop ik naar binnen. Stoelen, tafels, spiegels en lampen, in tientallen vertrekken zijn ze achter elkaar opgesteld.

Aan de straatkant heeft de zaak de breedte van twee gewone etalageruiten. Binnen vergroot het zich naar zoveel kanten, volleybalnet, jukebox, tafeltennistafel. Het lijkt of een huizenblok is gevuld met alles wat naar beste kunnen ooit ergens dienst heeft gedaan. Vlaggen aan de muur, met etiketten beplakte koffers, kisten met sjabloonletters erop, schaduwen en weerspiegelingen, in allerlei formaten.

Uitgewerkt, dat zijn ze hier, autoband, horizon, motorvlet, alleen nog geschikt om in een verhaal of een film een gastrol te spelen. Je ziet het niet aan hun ouderdom, maar aan iets anders. De laatste rest van een beweging is uit hun bestaan gegleden, de moet waaraan je kunt zien dat er net nog iets mee is gedaan, die ontbreekt.

De verplaatste stoel, denk anders aan de scheef liggende krant of de slordige stand van medicijnen op een kastje. Er wordt mee geleefd, iets mee gedaan... de zichtbare echo van wat er net is voorgevallen, die klinkt hier niet meer mee.

Ik ben van plan de bus te nemen, door een buitenwijk met herenhuizen, op weg naar niets. Zo leerde ik gisteren het Wiertzmuseum kennen, een kolos met waanzinnig grote schilderijen als *De verbaasde begraving* en *De jonge tooveresse*.

In een hoek hing een geschilderde sleutel, je zou hem haast pakken. Niet nodig, op de muur stond de deur al open. Een vrouw keek door een brede kier de zaal in met zo'n blik van wie komt er nou weer aan?

Even later zat ik in het Europees parlement, vlak bij het museum van Wiertz. De vergaderzaal met bewegende politici in een grote filmcirkel om mij heen. We mochten zo stemmen, dit keer bewoog het trompe-l'oeil.

Nee, geen bus naar niets, je kunt net zo goed hier blijven. In een etalage hangt het portret van een vrouw met een vage plek op haar gezicht. Misschien heeft ze net bewogen uit protest tegen de houding die de schilder haar oplegt.

Ik ga een lange straat in, schuin tegenover de kerk. Waarom lopen hier vier Schotten, met stevige benen en een keurige rok, verderop nog drie. Ik houd er een staande. Er wordt gevoetbald tegen de Belgen, wel zesduizend Schotten zijn naar Brussel gekomen. Dat kan wat worden vanavond. Hé, Permeke, in de Bozart, affiche, daar moet ik van de week heen.

Deze stad is meestal licht in overtreding, dat maakt haar zo mooi, iets te veel make-up. Waar je ook loopt, het is net even anders dan je denkt. Misschien ben ik er dit keer wel extra gevoelig voor.

Twee vrienden van me zijn ziek, Henk en Gerard, het voelt of ik ze in Nederland heb achtergelaten. Ik wilde het eerst buiten deze verhalen houden, maar dat lukt me niet.

Ach, het valt vast wel mee. Het kan ook niet anders, zo spreek ik mezelf moed in, moest wel weg, heb een contract voor gastlessen, workshops op de hogeschool.

De rommelmarkt op het Vossenplein, ik vind wat ik zoek, zonder te weten dat ik eropuit was. Een weitas met harmonicamappen en daarin zitten papieren lichaamsdelen, netjes langs de lijnen geknipt, het hart, de lever, de longen... voor een student uit 1910, 1915. Je weet niet dat het bestaat en toch is het er.

Even verder zit tussen twee ingelijste foto's een kartonnen plaat, met illustraties. Ik draai hem naar mij toe en zie het begin van de taal.

Daar staat 'sch' en even verder 'pl', je kunt er een strip inschuiven met aanvullingen. Het verandert steeds, 'schaar' wordt 'sch-aap', van 'pl-ak' naar 'pl-ek', eerst 'tr-aan' dan 'tr-oep'. Bewegende letters, ze willen steeds iets anders betekenen.

Ik koop niets, 't gebeurt zo wel en dat doet het ook. Het

misverstand is hier de norm. Aan het eind van de straat naar links en nu sta ik weer voor de *1200 m² de décoration.*

Vanuit deze hoek zie ik hoe de zaak heet, Stefantiek, als een goochelaar vermengt de eigenaar z'n handel met z'n naam, je ziet de twee woorden in z'n mouw zitten.

Dat van die Schotten, daar kan ik Henk over opbellen, fremdkörper, daar houdt hij van. Het is net zoiets als de naam van de decorhandel, duidelijk te veel. Kan anders een weekend naar ze toe gaan, Eckstine voor Gerard en Pee Wee Russell voor Henk, zo kochten we platen bij Discotone van Hank van Leer, vinyl in de Lange Leidsedwarsstraat.

Henk heeft nog een grote foto uit die dagen. Chet Baker in het Concertgebouw, 1955, genomen door Ed van der Elsken, met Dick Twardzik aan de piano. Baker kijkt naar z'n trompet, op de achtergrond gebeurt iets anders.

Daar zitten we, tamelijk vaag, Gerard, Henk en ik met nog een paar vrienden. Als je ogen aan het donker zijn gewend, wordt alles scherper, we zijn het, geen twijfel mogelijk. Later kwam ook de cd uit met het concert en toen probeerde Henk erachter te komen wanneer de foto ongeveer is genomen, tussen welke twee nummers in.

Ik loop in de richting van m'n flat aan de Oude Graanmarkt en drink nog iets bij Le Cirio, aan het Beursplein, vlak naast The Collector, waar ik de vinylplaten heb gekocht.

Een vrouw krijgt een biertje, pakt haar fototoestel en fotografeert het. Ze neemt een slok en maakt weer een foto van haar nu leger geworden glas.

Dat herhaalt zich nog twee keer. Ze drinkt het laatste bier op en zet het menu voor haar op tafel. Dat fotografeert ze ook. De ober brengt nog een biertje. Ze legt het toestel neer en kijkt om zich heen. Ze fotografeert niet meer.

Ik steek de boulevard Anspach over, wijk uit voor een paar dansende Schotten en zie aan de overkant de Beursschouwburg. Wat is dat? Op de smalle rand van de luifel staat *beurshowbrug*, dan *bourscaubirg*. Steeds is de naam anders gespeld, wel zeven, acht keer. Wie heeft dat gedaan, eindelijk word je eens van de officiële spelling verlost.

Gisteren kocht ik een spotgoedkope jas, ik zocht 'm al jaren, zwart en lang, tot ver onder je knieën. Hier in Brussel vond ik hem zonder te zoeken, met zo'n hoge kraag. Was zo opgewonden dat ik helemaal vergat in de spiegel te kijken. Dat deed ik pas in de volgende winkel. Je koopt iets hier en je kijkt pas daar.

Thuis denk ik nog aan de *showbrug*, de *caubirg*, iets verkeerd begrijpen als norm. Het niet meer verbeteren, nieuwe mogelijkheden, fouten zo laten en onbegrip wordt deugd, ik lach.

Hoe zal ik verdergaan met m'n bundel? Nu naar het model van Balthus in de Morvan, of komt het dan net iets te vroeg tevoorschijn. Een fietstocht in de oorlog?

De zoevende banden, hier zitten ze nog om de wielen, niet van gummi, als in de stad. Zoef, zoef, daar kun je zo lekker op denken, misschien komen we wel nooit meer ergens aan, of anders blijven we hier voorgoed, m'n gedachten gaan alle kanten op.

Of eerst de jongen die begint te huilen en dan legt het meisje haar handen op z'n ogen?

Echt iets voor jou

Tine loopt naar een kiosk, even de stadskrant kopen. Ze geeft pianoles en krijgt pas over een paar uur haar leerling Phia. Een man schuin voor haar leest de bovenste pagina van de stapel, zonder dat hij de krant vasthoudt.

Ze moet die krant pakken, het lezen van het eerste nieuws, vroeg in de middag, vervult haar altijd met een groot geluk. Stoort ze hem dan? Eigenlijk niet, op het volgende voorblad staat hetzelfde. Ze aarzelt, het blijft zijn krant. Dan trekt ze, met een lachje, het stadsblad weg en loopt naar binnen om te betalen.

Leest hij door? Nee, hij volgt haar met zijn ogen. En toch is er nauwelijks wat veranderd. De stapel is alleen iets minder hoog geworden. Die ene krant was van hem en nu niet meer. Hij loopt zonder verder te lezen door.

Tine doet de krant in haar tas, voor straks, in het café, ze heeft een afspraak met Thijs. Het lezen bij de stapel, dat is echt iets voor hem.

Ze gaat het café in, speurt in het rond, nee, hij is er nog niet. Op de gekste momenten moet hij ergens heen. Hij is vertaler, misschien hebben ze hem nodig om over een tekst te praten, voor de laatste verfijningen. Een folder voor een auto, een kinderboek, een technisch verhaal over een nieuwe computer, het kan van alles zijn.

Ze hebben dienende beroepen. Een studente mocht na het conservatorium vrijwel meteen in de kleine zaal spelen en Tine zat op de eerste rij. Thijs kreeg eens de opdracht voor de vertaling van een kinderboek. Hij verdiende er veel mee, maar zijn naam stond in een kleine letter in het colofon, niet eens aan het begin, onder de titel.

Schuin voor haar in het café zitten drie mannen te vergaderen, veel blocnotes en papieren, zover dat kan op zo'n kleine tafel. Een man staat op, loopt weg en meteen herhaalt de kleinste van het drietal wat de verdwenen man net heeft gezegd, 'we kunnen het ook uitstellen.'

Hij wijst met een priemende vinger naar de nu lege stoel, een paar keer, alsof zijn gespreksgenoot daar nog zit. Wijzen naar de afwezige en zo is de man toch niet helemaal weg.

Ze kijkt naar buiten, daar heb je Thijs, aan de overkant van de straat. Hij blijft staan voor de etalage van een boekhandel. Soms denkt ze wel eens dat hij in het geheim het hele bestaan wil veranderen. Die vertalingen zijn hem niet genoeg.

Als hij eenmaal zit, vertelt ze over de krant.

'Je bedoelt deze?' hij lacht.

'...ja...'

'...wat leuk dat er met een krant iets kan gebeuren...'

'...anders lees je er alleen maar in,' zegt Tine.

Ze wisselen het laatste nieuws uit, 'm'n moeder is langs geweest en ze vindt dat ik niet genoeg kom.'

'Net als de mijne,' lacht Tine, 'heb je nog nieuwe opdrachten?'

'Laatst vroegen ze nog of ik een heel boek met interviews van Buñuel wilde vertalen.'

'Van *Belle de Jour*?'

'Over elke film een gesprek,' zegt hij.

'Doe je het?' vraagt ze gretig.

'Nee, geen tijd... moet ik me in dat hele oeuvre verdiepen.'

Ze wonen in verschillende huizen, 'ik de linker en jij de

rechterhand' heeft ze eens tegen hem gezegd en ze begon iets voor hem te spelen.

'Wat moet je toch met die Thijs,' vroeg haar vriendin Heleen, 'hij zegt niets of praat alleen maar over onmogelijkheden.'

'Nog nooit... zo dicht bij iemand...'

'Je begint op hem te lijken.'

De derde man zit weer aan het tafeltje. Ze vertelt Thijs over de wijzende vinger naar het niets. Dan komt hij een beetje los.

'Dat is mooi,' zegt hij. 'Hoe lang bleef hij weg?'

'Wel drie minuten.'

Thijs bladert in de krant, om vlug iets te vinden. Hij begint voor te lezen, 'de stem van Knorretje is dood... het varkentje uit *Winnie the Pooh*.'

'O, uit de film... hoe heet die man dan?' vraagt Roos.

'John Fiedler. Het is net of hij zelf nog leeft, dat alleen z'n stem is gestorven.'

Het bericht is maar klein en toch staat er veel in, 'een dag eerder stierf Paul Winchell, de stem van Teigetje...'

'Ook zonder lichaam?'

Thuis wacht ze op Phia. Zij is elf, altijd iets te laat, toch speelt ze als een vorstin. Kuhlau, Lichner, de sonatines worden bij haar weer jeugdig, niet eerder heeft iemand ze aangeraakt.

Moet ze haar straks iets anders laten spelen? Lehár misschien, niet te moeilijk, veel sentiment, daar houden jonge meisjes van. Tine is er zelf ook mee begonnen. Ja, dat moet ze doen. Dan hoort ze of Phia haar virtuositeit kan bedwingen en met gevoel iets eenvoudigs kan spelen.

Waar is de muziek? Ze zoekt en zoekt in verschillende stapels. Veel Mozart, daar heb je Satie, voor hem is elke noot er een te veel. Tine speelt hem zelf graag. Lehár is niet te vinden.

De bel, hij rinkelt door haar hele lijf, net nu de muziek voor de komende les ontbreekt.

Phia babbelt honderduit. Haar armen maken hoekige bewegingen, ze is gek op wel drie jongens tegelijk. Met een vriendin heeft ze een onderzoek gedaan naar hoe je je als je verliefd bent moet gedragen. 'Vooral jezelf blijven,' had de moeder van de vriendin gezegd.

'Dat denk ik ook,' zegt Tine, 'ga nu maar zitten.'

Dat doet ze en ze speelt een paar toonladders. Tine hoeft het niet eens te vragen. Heel aandachtig, al het hoekige is verdwenen.

'Speel 'ns met iets meer tussenpozen,' zegt Tine. Phia doet het meteen, bij haar niet 'hoe bedoel je', of 'hoe dan', je hoort het begin, dat eeuwige begin.

De stilte tussen de eenvoudigste klanken. Alles kan, niets is nog aan een verhaal vastgemaakt. 't Is aan elke melodie ontkomen.

'Hoe verder?' Phia kijkt Tine vragend aan.

Lichner dan maar, komt Lehár de volgende keer. Phia begint. Er sluipt iets sierlijks in haar gebaren, ze speelt het nog beter dan de vorige keer.

Het kan niet lang meer bij sonatines blijven. Hoe ze het bestaan bespeelt, Lehár, waar kan hij nou zijn. Wat je niet allemaal kwijtraakt, oorbellen, je horloge, daar is het weer... brief te goed opgeborgen, schoenen onder andere schoenen.

Zo'n simpele sonatine, alles legt Phia erin, van zichzelf, zonder dat ze het weet, en ook wat ze zelf niet eens heeft meegemaakt. Tine hoort het, een man leest een krant, mag je hem wegtrekken, het komende ritme in je arm, in je hand...

De mooiste wendingen in de melodie, leegte waar niemand zit, je wijst ernaar, twee, drie keer, of niemand is weggelopen. 'Zo goed?' en weer kijkt Phia over haar schouder Tine vragend aan.

Als Phia weg is, vindt Tine Lehár meteen. Tussen twee kranten, het steekt er net een stukje uit. Gisteren al aan gedacht, gepakt en bekeken, 'Dein ist mein ganzes Herz', dat is iets voor Phia, en toen achteloos tussen de kranten terechtgekomen.

Ze loopt naar het raam en doet het gordijn iets verder open. Waar vind je de zoekgeraakte dingen terug?

Een visitekaartje dat ze van iemand had gekregen, niet meer te vinden, hoe ze ook zocht. Het voelde zo glad, toen ze het kreeg, dat ze zoiets nog weet.

En met die lichtste redenering vond ze het ook werkelijk, in de binnenzak van een zijden jasje. Agenda gepakt, kaartje eruit gegleden, zo was het gegaan.

Een sjaaltje, lila-wit, zo fijn om te dragen, zo zacht, een negligé, een nietsje om je hals en toen was het weg. Nog even aan een paar cafés gedacht, niet naartoe gegaan. Bij een leerling thuis, niet naar gevraagd, en zo werd het een onbestemde vergeetplek, in je gedachten, nog even en je denkt er nooit meer aan.

Tot het sjaaltje weer aan de kapstok hing, waar het hoort, na een bezoek van Heleen. Zij had het per ongeluk meegenomen, ze had ook zoiets, half-en-half in die kleur. Op zoveel andere plekken moet het hebben gehangen, in de trein, een conferentieoord, 's nachts in een hotelkamer, en waar Heleen intussen nog meer is geweest.

Ze loopt naar de slaapkamer en trekt het bed opzij. Een lang gemiste armband met zilveren schakels, papieren zakdoekjes. Het is de simpelste vergeetplek en toch kijkt ze er nooit.

Wat is er veel tussen het bed en de muur gegleden. De kleurige rondjes voor de paardenstaart van haar nichtje, een paar Deense munten, een lippenstift. Spookachtig, met al die dotten stof.

Weer de bel, ze staat vlak bij het verschoven bed. Nee, het kan geen leerling zijn. Staccato, anders dan Phia. Het is de herkenningsmelodie van Thijs, ze rent naar het open raam.

'Wat is er?'

'Ik heb het!' roept hij.

'Wat dan?' roept ze terug.

'Kom nou,' roept hij, 'kom je nou...'

Ze rent naar beneden, het moet wel iets bijzonders zijn.

'Ik weet het,' zegt hij, groet haar niet eens, in het café al gedaan.

'Ja, wat dan, wát dan?'

Ze lopen langs de kiosk en weer leest daar een man de bovenste van een stapel kranten. Hij bukt zich net niet.

'Ik wilde een foto ophangen...' gaat Thijs door.

'Dat is toch niet zo bijzonder.'

'Wacht nou even... een foto ophangen en ik had niet meer van die oogjes...'

'Ja...?' vraagt ze. Het is hem ernst. Oppassen. Niet te veel vragen.

'Van die driehoekjes die om een spijkertje in de muur kunnen.'

'O die.'

Ze lopen de boulevard af. Thijs vertelt dat hij eerst het telefoonnummer van de lijstenwinkel heeft opgezocht. Op een papiertje geschreven, dan heb je dat dikke telefoonboek er niet bij nodig. Hij belt, ze hebben het, gaat erheen en koopt de driehoekjes. Alles heel gewoon.

'Daarna gooide ik het blaadje met het telefoonnummer weg. Die man zou ik toch nooit meer bellen.'

'Nou en?'

'Begrijp je het niet?' Hij kijkt haar van opzij aan, 'die dingen gebeuren aan één stuk door.'

Ze steken over, zomaar een kant op, hoeven nergens heen.

'Hoe dan?'

'De voorbijgangers die je op straat probeert te ontwijken. Even zie je hun gezicht of ze zijn alweer verdwenen.'

'O dat.'

'Het tijdstip waarop een trein in een vreemde stad vertrekt. Je kent het, je rijdt weg en je mag het alweer vergeten.'

'Begrijp het,' zegt ze zacht.

'De prijs van een paar schoenen. Een overhemd dat je lang hebt gedragen, net weggegooid.'

'Voorzichtig.'

'Je zult het er nooit meer over hebben, of er zelfs maar aan denken. Soms is het al weg voor je het kunt betrappen. Je hele dag zit er vol mee.'

Hij begint te snikken. Ze legt een arm om hem heen, en kust hem op zijn ogen, achter elkaar, achter elkaar, heel wild, kust ze hem op zijn ogen.

Schaduwen en weerspiegelingen

Als je in de trein zit, zie je de stad van opzij. Toch blijft je natuurlijke uitzicht recht vooruit, als in een auto. In die wagen zit je weer veel te laag, als thuis, in je stoel. Het landschap dat je vanuit een auto ziet, is de voortzetting van het landschap op de televisie.

In de bus, op de eerste rij, dat is het ideale uitzicht, als van een man op een paard. De voorruit is jammer genoeg licht getint tegen de zon. Zelfs in het helderste zonlicht zie je een schemerachtig landschap, of anders hebben ze de voorruit wel blauw gemaakt, dat tempert het licht. Zo wordt het panorama een Japanse prent.

Dit ontdekte een Roemeense vreemdeling in Noord-Amerika, toen hij in 1958 door Kentucky en West Virginia reisde.

Omstreeks 1920 heeft hij in z'n geboorteland nog gezien dat een boerin in een waterput naar het gezicht van haar toekomstige man zoekt. Ze laat de emmer aan het touw naar beneden rollen. Dan haalt ze het water op, met de maan erin. Met een lepeltje drinkt ze van de weerspiegeling. Als ze daarna in de put kijkt, ziet ze het gezicht van haar bruidegom in het water verschijnen.

Veel later, nadat hij in 1942 met een boot van Lissabon naar Amerika is gevlucht, begint de vreemdeling op de capriolen van een vlakje te letten. Als het van tafel valt, staat hij vlug op. Hij rent erachteraan, om te voorkomen dat het onder een kast of tussen rollen papier verdwijnt.

Helemaal verkeerd, zo krijgt het vlakje de kans naar onbekende verten weg te schieten. Rustig blijven zitten, kijk tot het stil wil liggen en dan pas opstaan, dat is het.

Diezelfde dag krijgt hij nog een ander idee. Als je verschillende kleuren verf hebt gebruikt en je bent aan het eind van de middag klaar, pak dan niet een tube om dan pas naar de dop te zoeken. Eerst de dop en dan de tube, dat is overzichtelijker.

Je verwacht het niet meer en dan komt hij toch nog langs, de tekenaar Saul Steinberg, met een lepeltje maan, een vlakje en andere stillevens en vergezichten. *Reflections and Shadows* heet dit postume boek, met op het omslag de naam van Steinberg en van de Italiaan Aldo Buzzi.

Het is, volgens Buzzi, op een ongebruikelijke manier tot stand gekomen. Hij kent Steinberg al sinds 1933, toen ze samen in Milaan architectuur studeerden. Pas in 1974 en 1977 legden ze een aantal van hun gesprekken vast, in het zomerhuis van Steinberg, op Long Island.

Buzzi werkte ze in een kalm tempo uit. Ofschoon Steinberg eerst akkoord ging met de tekst, kreeg hij later z'n twijfels. Het manuscript bleef ongepubliceerd. Volgens Buzzi dacht Steinberg dat het niet het niveau van z'n beeldend werk zou halen. Hij voelde zich een schrijver die tekende, dat kon hij nu eenmaal het best. Of wantrouwde hij elk geschreven verhaal?

Steinberg is in 1999 gestorven, in zijn woonplaats New York, ruim vierentachtig jaar, de man van de zelf ontworpen paspoorten, diploma's en vingerafdrukken. Om de vervalste ambtelijke stukken is hij het bekendst geworden, maar ook een foto of een wijnetiket is bij hem niet te vertrouwen.

Wat eigenlijk wel?

In 1956 belde de Oostenrijkse fotografe Inge Morath voor het eerst aan bij z'n huis in de Upper East Side van Manhattan. Steinberg deed open en Morath fotografeerde

Steinberg in Manhattan, 1956. *Foto Inge Morath*

hem meteen. Er zat een papieren zak over z'n hoofd en daarop had hij z'n eigen gezicht getekend.

Even later ging hij voor een wand met andere maskers staan. Steeds zag je op zo'n bruine papieren zak van de supermarkt z'n gezicht, vrolijk, stuurs, bedremmeld. Een gezichtengarderobe waaruit hij kon kiezen.

Over z'n persoonlijk leven heeft hij weinig prijsgegeven.

Op een tekening zie je er hoogstens een glimp van. 'Ik laat mezelf en mijn wereld zien op de manier die ik verkies', een man die z'n hoed afneemt en dan komt het hoofd mee, aan de rand.

Tegen Buzzi is hij iets openhartiger. Hij vertelt dat het in 1940 bij z'n arrestatie in Milaan net was of hij een rol in een onbekend stuk speelde.

'Ik zag mezelf, alsof ik iemand anders was, een man die zichzelf op papier tekent', een scène die bij Steinberg letterlijk voorkomt, een hand tekent het hoofd op het lichaam van een en dezelfde man.

Hij vlucht via Lissabon en Santo Domingo naar Amerika. In 1944 is Steinberg terug in half bevrijd Italië, als officier bij de Amerikaanse marine. Hij ziet een vroegere medegevangene langs de weg staan, 'een Jood uit Amerika met belangstelling voor een andere Jood.'

Om aan de kost te komen verkoopt de man postzegels van de nazi's en de Italiaanse fascisten, die zijn intussen zeldzaam. 'Toen het was afgelopen met Mussolini, waren wij ook bevrijd,' zegt de postzegelverkoper. 'Gelukkig ging ik naar het zuiden. De anderen, arme drommels, vluchtten naar het noorden.'

Een postzegel, een oproep of een ander officieel papier, het hachelijke van een eenmaal ingeslagen weg, Steinberg heeft er in zijn tekeningen eindeloos op gevarieerd.

Na de dood van de tekenaar publiceerde Buzzi het boek toch, *Reflections and Shadows*, met de titel had Steinberg ingestemd.

Buzzi zegt niet of Steinberg het manuscript mede heeft geredigeerd. Vermoedelijk wel. Dit is geen wollige spreektaal. De zinnen zijn nauwkeurig en op onverwachte plekken komt hij met een beeldend detail.

Thuis in New York krijgt hij van een vriend recente kleurenfoto's van de Palasstraat in Boekarest, de buurt waar hij speelde. Wat hem opvalt is dat ze op het asfalt in de straat uit z'n jeugd een zebrapad hebben geschilderd.

Als je de inhoudsopgave bekijkt, lijkt het wel een klassieke biografie. Het boek volgt Steinbergs leven in Boekarest tot 1933, z'n architectuurstudie in Milaan in de jaren dertig, z'n vlucht naar Amerika. Toch is er nog iets heel anders in het boek geslopen.

In 'Drawing from Life', het slothoofdstuk, begint Steinberg over schaduwen en weerspiegelingen, die vatten z'n leven beter samen dan rechtlijnige taal. Hij bestudeerde in z'n jeugd zo'n kinderboek met schaduwen, wierp met z'n eigen handen een haas of een krokodil op de muur. Geen woord bij nodig.

In het spiegeltje van z'n auto ziet hij hoe het laatste beetje zon verdwijnt achter de heuvels, 'en tegelijkertijd, recht voor me, de weerkaatsing van de zonsondergang in de oostelijke wolken, veel mooier dan de echte zonsondergang, eleganter, minder vulgair.'

Hij let op elke waterplas en kijkt in een glas water op z'n eigen balkon. De weerspiegeling is oorspronkelijker dan het origineel, omdat het water sterk afwijkende vormen, als een vlag, een wolk en een boom, met gemak verenigt.

In 1950 vraagt Vincente Minnelli of Steinberg in *An American in Paris* z'n hand aan Gene Kelly wil lenen. De tapdanser speelt een schilder en Steinberg kan dan Kelly's tekeningen en schilderijen maken. Een fantastisch gezicht, een Amerikaan maakt in Parijs Roemeens werk.

Steinberg kreeg ruzie met de producent en trok zich na een dag al terug. Hollywood was niets voor hem. In de tijd van Minnelli's verzoek was hij met iets heel anders begonnen. Hij tekende op stoelen, badkuipen en dozen, met een viltstift, dat gaf de dikste lijn.

Op de flappen van een doos zie je het hoofd en de armen van een man. Als je de flappen dichtklapt is het gewoon

Saul Steinberg, *Zonder titel*, New York, 1951. *Foto Louis Faurer*
(© The Saul Steinberg Foundation, c/o Pictoright Amsterdam 2013)

een doos als alle andere, niemand weet wat erin zit. Zijn vader en een paar ooms waren drukkers en maakten ook dozen en ander karton. Saul is tussen de dozen en het papier opgegroeid.

Geen schaduw kan hij met rust laten, vooral in de winter, als de zon laag staat. Meestal is die zo goed als recht, behalve op een oneffen terrein. Daar zien de lange schaduwen eruit alsof ze in een lachspiegel worden bekeken.

In de gesprekken met Buzzi gaat het hem niet om 'eerst dit' en 'toen gebeurde er dat', zo'n verhaal over een Roemeen op de vlucht. Wat moet hij zeggen over de lijnen van z'n onbetrouwbare omgeving, die hij steeds weer probeert te tekenen?

Niet alleen een grensovergang wil hij in een verhaal dompelen. Ook een schuifdak in een taxi (*biedt 's nachts het mooiste uitzicht op wolkenkrabbers*) of z'n eigen schooltas (*de naam Steinberg staat er groot op*) verdienen de allure van een tekening, die nooit helemaal klopt.

Bij Steinberg zijn dieren hun omgeving soms te slim af. Een hond loopt van maart over een brug naar april. Hij volgt de wegwijzer met 'zomer' en zal er wel komen. Een andere hond heeft een taxi genomen, hij staat op de rug van een schildpad en kijkt huilend naar waar hij vandaan komt.

Steinberg schenkt je wat hij onderweg heeft buitgemaakt, ook een tekening van de Zwitserse sprookjesschilder Paul Klee, dat zegt hij tenminste. Als je die van dichtbij bekijkt zie je, volgens Steinberg, een haar, onder het tekenen opgegaan in de inkt. Hij vermoedt van Klee's snor of van een wenkbrauw.

Een haar van Klee, je moet Steinberg op z'n woord geloven. Het zou een verzonnen haar kunnen zijn. Een tekening naar Klee, met een eigen haar van Steinberg in de inkt, dat kan ook. In *Reflections and Shadows* hoef je tussen die mogelijkheden niet te kiezen. Het is een gespeelde documentaire waarin zelfs een haar verschillende rollen tegelijk kan spelen.

Voor het eerst

We fietsen met z'n vieren tussen de weilanden. Een halfuur geleden hebben we van alles in de echoput geroepen, m'n moeder, m'n broer, m'n oom en ik.

Ik zit achterop bij mijn oom en we roepen hetzelfde, 'We hebben u bedonderd,' heel hard, nog eens en nog eens, 'We hebben u bedonderd'...

Het geluksgevoel dat je iemand te slim af bent geweest. M'n moeder had best kunnen betalen, m'n oom ook. Dat hebben ze niet gedaan. We liepen om het huis met de kassa heen. M'n broer en ik waren verrukt, kinderen ontkomen het liefst aan alles en nu deden twee echte volwassenen dat ook. Ineens zijn ze net zo oud als wij.

'Hoe heet de burgemeester van Wezel?' dat riepen we in de put. Ik had liever zelf willen fietsen, bij m'n oom achterop is het ook goed. De geur van versgemaaid gras, de koeien in de verte, door een lichte nevel bedekt. Ik ken ze van plaatjes in een boek of van een moeilijke puzzel. De nog ontbrekende stukjes van een brandende zon in de blauwste lucht.

Hier schijnt de zon ook volop, een dag in augustus. Het is oorlog en we horen geen schot. Ik denk niet eens aan een geweer. Nog nooit langs koeien gefietst, we wonen in de stad, en nu zie je ze, in het echt.

M'n oom is goochelaar, misschien heeft hij ze wel tevoorschijn getoverd. Waarom niet, hij kan ook een spel kaarten in de lucht gooien en dan rijgt hij ze roetsj!, roetsj! aan een floret. Dan staat hij, net voor ik in slaap val, in smoking naast m'n bed.

We rijden maar door op onze gehuurde fietsen. Soms een heideveld en dan weer helemaal gras, tot in de verste verten. De zoevende banden, hier zitten ze nog om de wielen, niet van gummi, als in de stad. Zoef, zoef, daar kun je zo lekker op denken, misschien komen we wel nooit meer ergens aan, of anders blijven we hier voorgoed. M'n gedachten gaan alle kanten op.

En wat zijn dat, twee vogels met enorme vleugels, hoog in de lucht. Ze vliegen van elkaar af, nee, alweer naar elkaar toe, alsof ze niet goed weten hoe ver ze van elkaar mogen zijn.

Op school laat de meester soms grote platen van vogels zien. Je ziet het van heel dichtbij, het witste wit van een meeuw, de spikkels van een lijster.

Hier zie je de vogels van een afstand. Ze vliegen zo hoog als ze je bijna weer verlaten, boven het weiland en het bos, in de verte.

'We hebben u bedonderd,' zegt m'n broer nog een keer. Daar loopt een zwijntje, bij de bomen. Z'n bek botst een paar keer tegen de hals van z'n moeder. Wat mooi en we stoppen niet eens. Verderop wacht zeker nog iets veel mooiers op ons.

M'n voeten met sandalen in de fietstassen, ik hoef nooit meer te lopen. Dan zien we een grote boerderij, niet eens zo ver van de weg. Mijn oom houdt in, hij weet iets meer, dat voel je. Een bocht, daar heb je een bord, 'Uitspanning', het staat er heel groot op.

De fietsen in een houten rek. Rieten stoeltjes in een tuin, 'dat heet nu een terras,' zegt m'n moeder. Er zitten niet eens zoveel mensen.

'Kijk, een vliegtuig,' zegt m'n oom.

'Wel twee,' zegt m'n moeder.

'Bommenwerpers,' zegt m'n broer, hij spaart granaatscherven, 'geen Stuka's... Spitfires, denk ik.'

Ik loop de tuin in. Achter de bomen begint het weiland weer. De koeien zijn daar zo dichtbij dat je ze door het hek aan kunt raken. Dat durf ik niet.

Er staat een douche, met zo'n lange zilveren steel. Thuis wassen we ons in een teil, in de keuken. En toch weet ik dat het een douche heet.

Ik wil eronder, het is zo warm, nu, meteen, moet het aan m'n moeder vragen. Dat vindt ze vast niet goed, of ze vindt het wel goed, maar dan moet ik eerst dit of anders wel dat doen.

Je kunt hier op een houten vloertje gaan staan, latjes naast elkaar en dan aan de knoppen draaien. Hier doen ze dat in een tuin. Ik schop m'n sandalen uit. Korte broek, is al langs m'n benen gegleden, nu nog m'n overhemd met korte mouwtjes, bruine armen en dan die witte schouders.

Voor het eerst ben ik buiten naakt. Ik kijk om. Ze kunnen me niet goed zien, denk ik, of ze zien er wel iets van. Het kan me niet meer schelen.

Ik draai aan de knoppen, meteen water. M'n armen heen en weer in de stralen, wat zijn die hard en koud.

Nu m'n onderbroek nog, ik duik eronder, wat is dat lekker in die hitte. Door het water kijk ik naar het groen, de blauwste hemel, de zwart-witte vlekken van de koeien. Het voelt zo gek, dat er geen muren om me heen zijn, als in de keuken of in het zwembad.

Houden de koeien ook van water? Terwijl al het water van de wereld op me neerstort, komen ze dichterbij. Ze hebben het ook warm, ik spat druppels op hun koppen. Ze staan net niet te ver, achter het hek. Een paar druppels bloed bij een oor. Die koe is langs het prikkeldraad gegaan.

Terug

Met de studenten krijg ik het over oorzaak en gevolg, dit naar aanleiding van *Le fantôme de la liberté*, de film van Luis Buñuel. Het begint met de executie van een groep Spaanse opstandelingen, onder wie Buñuel zelf, en dat geweld loopt, volgens een strikte logica, ten slotte uit in de blik van een struisvogel, die valse wimpers draagt.

Ik zeg dat tussen de opstand en de vogel, de eerste en de laatste beelden, niets wordt voltooid. Elk voorval dient als springplank naar een andere geschiedenis, die ook geen eind zal kennen. Ze hebben niets met elkaar te maken.

In de klas is het doodstil.

'Het gaat over het kritieke punt van elk verhaal,' zeg ik. Het blijft stil.

'Kennen jullie dat niet?'

'Wat?' kijkt de klas, zonder een woord.

'...dat je niet meer weet hoe je verder moet...'

Gestommel, er wordt gelachen, ja dit kent iedereen.

'...of je hebt wel iets... maar het past er niet bij...' zegt een studente.

'...kan ook...'

Het werkt als een bevrijding voor ze, je weet het niet meer, en toch moet je door, dat iemand hierover begint.

'...dat je iets weg probeert te gommen...' zegt de studente, '...ik bedoel de verkeerde overgang...'

'...of je laat die juist staan...' zeg ik. 'Bij Buñuel praat een echtpaar met de politie over hun weggelopen dochtertje... het kind komt binnen, daar is het weer... sst, zegt de vader, ze blijven naar haar zoeken... terug en toch nog zoek... tegelijk.'

'...en dan blaas je... hoe heet het nou...'
'...het gomsel...?' probeert een jongen.
'...ja... dan blaas je dat weg... als op een tekening...'

We gaan een weekend naar Nederland. Wat kan ik straks tegen Gerard zeggen? Misschien iets over Greenwich, het art-deco-café in de Kartuizerstraat, bij ons om de hoek. Ik at er stoemp, een soort stamppot, andijvie met aardappelpuree, erg lekker, zo je wilt met worst, spek of met balletjes in tomatensaus.

Ineens viel het me op, ooit zat ik hier aan hetzelfde tafeltje, zeker vijftien jaar eerder. Het was bij opnamen voor *Het schaduwrijk* van Kees Hin, samen met hem had ik het scenario geschreven. De studenten hebben de film net gezien. In het café wijst een man naar de nog niet gedroogde kringen op een tafel, kan z'n dochtertje zien hoeveel mensen daar net hebben gezeten.

Later danst hij met haar op een rommelmarkt in hetzelfde Brussel, helemaal in 't rond, nog een keer, nog een keer... dat probeert de vrouw later met behulp van een schimmenspel weer terug te krijgen.

Weet niet eens of Gerard de film heeft gezien, hij is erg op zichzelf. 'Tant je suis amoureux de vous', daar danste de vader met z'n dochtertje op, een chanson uit een heel andere film – met het orkest van Ray Ventura.

Was het *Nous irons à Paris* of *à Monte Carlo*, een van die twee... in de Hallen of de Westend, daar moet hij hebben gedraaid... in onze buurt, al leerde ik Gerard pas een jaar later op de 1e O.H.S. aan het Raamplein kennen, in de derde klas. Over Ray Ventura kan ik beginnen, om hem wat op te monteren.

E. en ik halen de auto op in de parkeergarage van een door de hogeschool gekraakte bierfabriek, in de Delaunoystraat.

In de naakte lokalen op een paar hoge verdiepingen, met buizen op de muur, hebben we pas een stuk of zes theatervoorstellingen gezien, achter elkaar. Een Nederlandse studente zei tegen me dat de manier van werken hier veel anarchistischer is dan in Amsterdam.

Dit is Molenbeek, een mohammedaans deel van Brussel. Daar loopt nog een verdwaalde Schot. We rijden de stad uit, bomen en weiden waarvan je je later niets zult herinneren, zo zien de landschappen van Bruegel er ook uit.

'Is-ie nu uit het ziekenhuis?' vraagt E.

'Wie?' antwoord ik in gedachten.

'...wie dacht je... Gerard...'

'...ja...'

'Plaatsgebrek,' denkt E., 'niet omdat hij weer beter is.'

'Ik heb het te lang voor me uit geschoven.'

'Je hebt gedaan wat je kon.'

'Zou Henk het al weten?'

'...hij is zelf niet goed...'

'Ik spreek hem morgen,' zeg ik.

'...weten nog niet hoe ernstig het is.'

'Tangerine...' begin ik zacht te zingen, zomaar, zonder reden, 'she is all they claim...', of het zouden alle redenen van de wereld moeten zijn.

'...hoe kom je daar nou op...'

'...and she has them all on the run...' ga ik door.

'...mooi...'

'...but her heart belongs to just one... her heart...'

'...belongs to Tangerine...' zingt E. vlak voordat ze stopt bij een benzinestation.

'Het is van Johnny Mercer.'

Kort voor Brussel gaf Gerard me *The Complete Lyrics of Johnny Mercer*. Henk kreeg het ook. Op het omslag draagt de Amerikaan zo'n slappe vilthoed en leest hij de krant. Hij is minder bekend geworden dan Gershwin of Porter.

'P.S. I Love You', 'How Little We Know', melodieën die je maar deels kunt onthouden, een voordeel, zo blijven ze nieuw.

'Yesterday we had some rain...' probeer ik zacht, 'but all in all...'

'...sta daar nou niet te zingen...'

'...I can't complain...'

'...moet ik soms alles doen... reken nou even af,' net geen knallende ruzie, weet niet waar m'n creditcard in moet, een gleuf ergens buiten. Waar precies en hoe?

We zijn nog zo'n anderhalf uur van Gerard af. Hij woont in de Betuwe, in een flat boven een klein medisch centrum, vlak bij de brede rivier.

Het dakterras is groot. Hij zit er soms te werken aan *Donker Afrika*, toen hij in Ghana fototoestellen verkocht, of hij staat er zomaar wat te kijken, zoals ik hem in het halfdonker zag op een ander terras, in Sitges, aan de Costa Brava.

Hij keek uit over een baai, glas whisky in z'n hand, luisterend naar Sinatra, 'Don't Worry About Me'... 'Hij laat dingen ongezegd', schreef hij later over de zanger, 'maar ze zijn er wel, tussen de woorden, tussen de noten'.

Dat hoorden we van dichtbij toen Sinatra in maart '77 optrad in het Concertgebouw. Z'n timing van 'Night and Day', alsof hij 't nooit eerder had gezongen.

De uiterwaarden, we rijden er dwars doorheen. Het licht tinkelt op de grienden. Straks heb je vanaf Gerards terras een prachtig uitzicht op de rivier. Hij stond er een keer toen de deur achter hem in het slot viel en de sleutel lag binnen.

Hij wenkte van boven naar een voorbijganger, die stak z'n hand op, dacht dat Gerard hem groette. Een vrouw keek omhoog en begon iets harder te lopen, alsof er gevaar dreigde. Pas na een uur begreep een man ongeveer wat er van hem werd verlangd.

Vanuit het ziekenhuis vertelde Gerard dat het linkerdeel van z'n gezichtsveld is uitgevallen. Nog thuis belemmerde hem dat al bij het schrijven. Hij kon het toetsenbord alleen nog zien als hij z'n hoofd een stuk naar links draaide.

E. kent dit verhaal, 'weet je hoe het verderging?' vraag ik.

'Hoe dan?'

'Er kwam een dame bij z'n bed met een krantje...'

'...de ziekenhuisbode...' vermoedt E.

'...weet je wat Gerard zei...'

'...nou?'

'Mevrouw, ik kan niet lezen – het was voor hem een bevrijding... *ik kan niet lezen...* dat hij dit eindelijk eens kon zeggen.'

We rijden door, nog een uur, het Concertgebouw, een nacht, begin jaren vijftig. De saxofonisten lopen naar de rand van het podium. 'Flying Home'... ze spelen het zo hard dat het publiek het niet meer houdt. Voor het eerst wordt er iets van de bezoekers gevraagd en ze zullen het geven ook.

De trompettisten zijn al spelend naast de saxofonisten gaan staan. Een paar bezoekers lopen naar voren en even later is de zaal zo goed als leeg. De massa deint bij het podium, vlak voor de muziek. De trombonisten komen erbij, Gerard wordt tegen het meisje voor hem gedrukt. Ze sluit haar ogen.

'Flying Home'... achter de blazers laat Lionel Hampton zijn vibrafoon in de steek. Hij springt op een trommel, het hoofd van het meisje rust tegen de schouder van m'n vriend. Dan zucht ze diep en opent langzaam haar ogen... net op tijd...

'Waar denk je aan?' vraagt E.

...net op tijd om te zien dat de muzikanten het podium verlaten... tussen de rijen door lopen met het publiek achter hen aan...

'Hij hoorde dieren... Gerard...' zeg ik.

'Waar?'

'In het ziekenhuis...'

'Wat voor dieren,' vraagt E., midden op de brug over de rivier.

'Eerst een koe, wel een beetje hard. Even later een kat, dat kan ook nog, dacht hij, al is het wel in een ziekenhuis. Dan zelfs een ezel en nu vertrouwt hij het niet meer.'

'Ik ook niet,' zegt E.

'Een haan, een kip, vertelde Gerard door de telefoon, moest hij er soms iets over zeggen? Het ging slechter met hem, dat was wel zeker. Om het nu meteen toe te geven... misschien trok het weg.'

'En?'

'De zuster zei dat het van een kamer verder kwam. Daar imiteerde een vrouw aan één stuk door dieren...'

'Rijden we zo goed?' vraagt E. met de ingehouden lach van iemand die niet wil lachen.

'Denk het wel,' zeg ik niet al te stellig, ook niet afwijzend.

Bij hem loopt alles anders, deur in het slot, 'ik kan niet lezen,' dierengeluiden, nummers op de kermis van het misverstand.

Het zit ook in z'n foto's. Een serie van vierentwintig afdrukken, het zijn er nog meer, een groot aantal is zoekgeraakt. De tedere graden van het zwart-wit.

Gerard blijft aarzelen over hoe licht op het gezicht en de

G. Brands, *Meisje* (fragment), Keulen, 1969

jurk van de deerne moet vallen. Steeds weer verandert hij het geringste.

Het strikken van een veter is een vreugdevolle daad
want zie toch eens dat sierlijk lusje, gedachteloos
gewrocht en altijd weer bereid om schielijk te verdwijnen,
o pieris brassicae, dartel koolwitje onder de knopen

Van veter naar vlinder, ik herken een straat, een plein. Als je ergens naartoe rijdt waar je zelden komt, vult het zich in zodra je dichterbij bent. We zijn niet ver meer van het huis aan de rivier.

'In the cool, cool, cool of the evening...' zing ik, 't is van Johnny Mercer en Hoagy Carmichael, een andere favoriet van Gerard.

'Tell 'em we'll be there...' E. kent het ook, ze parkeert de auto voor een veld met moestuintjes.

'When the party's gettin' a glow on,' ga ik alleen door en veel zachter, 'and singing fills the air...'

'Niet meer zingen,' zegt E. We kijken naar de verdieping boven het medisch centrum. Er brandt geen licht, hoeft ook nog niet. Het is pas het eind van de middag.

Ik maak aarzelgeluiden bij de auto, moet zakdoekjes pakken en vast nog wel iets. In Bangkok zag Gerard vorig jaar een olifant met een achterlichtje aan z'n staart... in de schemer. In een Thais museum legde een monnik snoepjes neer bij een piepjong kind op sterkwater.

'Kom je nou,' zegt E. ernstig.

Ik pak de plaat van Billy Eckstine. We doen er niet aan, hoor, dat zegt Gerard als het over het allerlaatste gaat. Nee, we kijken wel uit, zeg ik dan.

Z'n dochter Nicola doet open. Ze maakt een gebaar van best is het niet. Boven staat Alex, Gerards zoon. Ik leg de lp van Billy Eckstine op tafel en loop met E. en Nicola naar de slaapkamer.

Hij ademt zwaar, alsof hij het opnieuw moet leren, herkent me niet. Of misschien ook wel, je komt er niet achter, z'n ogen blijven dicht.

Even later sta ik bij de tafel met de plaat van Eckstine. 'Ik zet 'm op,' zegt Alex, 'je weet het maar nooit.'

Nee, je weet het maar nooit. Het hele orkest schalt door het huis, alsof het hier een gig heeft, keihard, bing, banng, flamm. De deur van de slaapkamer staat half-open.

We rijden naar Amsterdam. Hadden we moeten blijven? Het nachtconcert van Billie Holiday.

Ze loopt onzeker de hoge trap af naar het podium, drank, drugs, alle twee misschien. De jurk krult op de schouders feestelijk omhoog. Haar lichaam is vergaan en dat weerstreeft ze niet. Ze zingt erover met elk beschadigd woord van 'I Cried for You' en vijf andere nummers.

Na afloop lezen we de titels op zo'n vaalgeel blocnotevelletje, 't is op de piano blijven liggen. 'That old black magic', ook van Johnny Mercer, 'has me in its spell... that old black magic that you weave so well...', en even later

The same old tingle that I feel inside
And then that elevator starts its ride,
And down and down I go,
Round and round I go

's Avonds belt Nicola, als we thuis zijn in Amsterdam. Gerard is verdwenen.

Het model

Het is een oude brug, beneden in het dal, aan de rand van de Morvan. Er is me verteld dat hij uit de Romeinse tijd stamt, waarom niet. Is het metselwerk ook nog zo oud of is het door de jaren heen ververst – steeds nieuw wit, bij de restauratie van de zwakste groep stenen, tot ze allemaal zijn vervangen.

'Weet u wel waar u op loopt?' vraagt een jongen op de fiets. Hij stopt.

'Op een Romeinse brug?'

'Ja, maar later...'

Het komt erop neer dat hier in Pierre-Perthuis enkele scènes van *La grande vadrouille* zijn opgenomen. 't Is nu de brug van Bourvil en Louis de Funès.

'Wat leuk,' zeg ik, 'wat doen ze hier ook alweer...', de twee komieken zijn in Frankrijk nog altijd ontzettend populair.

'Wacht... daar is m'n vader.'

De man neemt me bij de hand, waarom doet hij nou z'n ogen dicht... samen lopen we over de brug, 'un chien... un chien...', hij steekt een arm schuin naar voren, alsof een hond ons leidt, of Bourvil en Louis de Funès alle twee een hond aan de lijn hebben.

'...geen Romeinse... Duitse soldaten...' roept de jongen.

We doen ze na, de vader en ik, half ruziënd, als in de film, met veel Duitse gebaren en dan staan we weer stil.

'Hoe ver is het naar Montreuillon?' vraag ik.

De Morvan is een heuvelachtige streek met plotselinge bossen, in Midden-Frankrijk. De bomen hebben hier witte sokken aan. Je rijdt er door een dorp zonder een mens te zien. Rue derrière l'église heet een straatje bij een kerk. Veel kastelen in de geest van slot Bommelstein, met laaghangende wolken om de spitsen en naar zeep geurende namen als Bazoches, Chastellux en Lantilly.

In een van die kastelen moet een model van de schilder Balthus wonen. Ze was nog net niet volwassen, toen hij haar tekende. De laatste ogenblikken van haar jeugd, die zie je op z'n mooiste schilderijen.

Hij had het kasteel in het begin van de jaren vijftig gehuurd om er in afzondering te kunnen werken en dacht ook nog van adel te zijn. Graaf Balthasar Klossowski de Rola (1908-2001), zo noemde hij zich, afkomstig uit Polen.

Het Château de Chassy, dat zoek ik, bij Montreuillon. Golvende velden om mij heen, bruingeel of groen, met af en toe een pluk huizen. Twee mannen zijn bomen aan het hakken, laag bij de stam. Er liggen al bundels aan de kant, mikadostokjes voor een paar reuzen.

Daar loopt een vrouw langs de weg, in het gras, op blote voeten. Peper-en-zoutkleurig haar, tot op de schouders, lange broek van goudlamé, alsof ze naar een bal gaat en dan nog een paar truien over elkaar. Veel te warm, nee, het kan, 't is hier in de bergen maar dertien graden.

'Kent u Frédérique Tison...' vraag ik, '...van Balthus?'

'Dat ben ik,' ze zegt het een beetje ongelovig, alsof ze ook iemand anders zou kunnen zijn.

Eerst lopen we langs de gebouwen vlak bij de poort. Het lijken wel stallen, maar het zijn ooit boerenwoningen geweest. Vergeleken met het slot, half bedekt door bomen, zien ze er gedienstig uit.

Balthus heeft het zonovergoten landschap, met z'n ron-

Château de Chassy, 2012

dingen en diagonalen, vaak geschilderd, vanuit z'n studio op de eerste verdieping. Hij keek gewoon uit het raam.

We komen dichterbij. Daar staat het kasteel. Het is met klimop begroeid. We mogen mee naar binnen. Er schiet me een foto te binnen van Balthus die naar hem opspringende katten vis voert, Frédérique zit aan tafel en kijkt lachend toe.

Even later staan we in de kamer waar Balthus haar als zestienjarige in 1955 heeft geschilderd. Je ziet haar op de rug, ze kijkt naar buiten, voor de openstaande ramen... één been opgetrokken, het rust op een stoel. Hij kende haar al langer, ze is de stiefdochter van z'n broer Pierre.

'Wat komt u hier doen?'

Dat heeft ze al een keer gevraagd. We vertellen het nog

eens, 'de studio van Balthus... mogen we die zien?'

'Bien sûr.'

Balthus zou ruim zeven jaar bij haar blijven. In 1961 ging hij naar de Villa Medici in Rome, als directeur van de Franse academie, met een nieuwe vriendin, de Japanse Setsuko Ideta, die voor hem poseerde en wat later ook z'n verf mengde. Frédérique mocht nog even mee. Daarna ging ze terug naar Chassy om er voorgoed te blijven.

In een gang loopt zij voor ons uit, door zwevend stof in een wisselend licht, onverwachte zijramen. We gaan de trap op naar de eerste verdieping. Daar moet de studio zijn. Buiten het landschap van Balthus, je kunt het vanuit het kasteel beter zien. Grote schaduwen op de akkers en velden en een paar zilverkleurige daken in de weidse ruimte.

Zo-even lette ik op haar gezicht om te kijken of ik de oogopslag, het voorhoofd of de stand van de lippen terug kon leiden naar het werk van Balthus, naar de laatste jeugd.

Nu loopt ze voor me. Ik herinner me haar lome poses, ze doezelt aan tafel, een arm onder haar hoofd, met zware oogleden. Ze staat rechtop met een afgezakte tuniek, tot onder haar borsten, ik ken haar al jaren, liggend, slapend, naakt voor een spiegel. Met één hand houdt ze het haar omhoog en stapt uit een bijna vol bad, in hoeveel ruimtes heb ik haar niet gezien.

We ontwijken een baal oude kleren en een doek dat achterstevoren tegen de muur staat. Aan het eind van de gang doet Frédérique een kruk op en neer, daar heb je haar gezicht weer, ze kijkt ons aan.

'Op slot,' zegt ze. 'Weet u waar de sleutel is?'

In een fonteintje staat een mandje met knopen en los touw. Met vlugge vingers gaan we erdoorheen. We vinden een stuk of vijf sleutels. Geen enkele past.

Frédérique zegt dat je ook door een andere deur in de studio kunt komen. Onderweg laat ze ons een salon zien. Witte miniaturen, dansers zijn het, op ook al witte toneeltjes, hoge poten. Even verder hangt een doek met een vrouw die verschrikt ergens naar binnen kijkt, een papegaaiachtige vogel zit op een keukenstoel. 't Is geen Balthus.

Frédérique heeft niets meer van hem, zo ze het ooit heeft bezeten. Ik hoef het haar niet eens te vragen. Niets van waar ze zelf op is te zien ben ik tegengekomen. 't Is nu miljoenen waard.

In deze kamer sliep Balthus. Zijn bed staat er nog al tijd. Je kunt het groene overtrek zo opzijtrekken. Het heeft een gewelfd hoofdeind, een baldakijn met galons en twee gedrapeerde gordijnen. Doet de leeslamp het nog op het tafeltje naast het bed, aan, ja, vlug weer uit.

Na z'n vertrek is hier niets meer veranderd, dat zei een vrouw in het dorp tegen me. Ik kijk om me heen. De vazen, banken en lampen zien er aangenaam slordig uit. Een edelman als Balthus weet dat je een kamer nooit helemaal in balans mag brengen, anders krijg je het onbeweeglijke.

De hele slaapkamer wordt weerkaatst in een spiegel met een goudkleurige lijst, een recent flesje Sprite tussen twee art-deco-vazen. In een hoek een theepot op een tafel, naast vier aubergines en een gedeukte plastic fles, alsof ze daar als groepsmodellen zorgvuldig zijn neergezet.

Er zijn meer deuren op slot. Het is net of Frédérique niet meer in bepaalde kamers mag komen. Misschien zijn het wel zalen.

'Wat komt u hier doen?'

Vlug strijk ik met een vinger over een deurlijst, tamelijk hoog boven me. Raak! De gevonden sleutel past niet op de deur.

Dan begin ik over *Alice au pays des merveilles*, 'het was

Balthus en Frédérique Tison, Chassy, Montreuillon, 1955

een van zijn lievelingsboeken…', dat zegt Nicholas Fox Weber, in z'n biografie *Balthus*.

Ze knikt, dat herinnert ze zich, ze lacht.

'Hoe ging dat nou…'

'…wat…'

'…was het vermoeiend om voor hem te poseren?'

'Nee,' dat is alles. Frédérique kan of wil niet veel meer zeggen, net als Balthus vroeger. In Chassy zweeg hij over z'n werk. Misschien beschermt ze hem nog steeds.

Het wemelt in elke zaal van de schemerlampen, soms wel vijf of zes op allerlei lage tafeltjes en nog heb je niet genoeg licht. In een kooi met takken, schalen en dierenmeubilair is geen vogel meer te bekennen, een verlaten huis.

Ik begin over Léna Leclercq, een ander model uit de tijd dat Frédérique in het kasteel poseerde, 'ze woont nu in de Jura,' zegt ze. Als ik de naam noem van Setsuko, de laatste vrouw van Balthus, kijkt ze alsof ze weinig goeds over haar kan vertellen.

Frédérique woont hier alleen en dat hindert haar niet. Haar dochter woont in Amerika. Af en toe komt haar zoon.

Het is net of op een raam fijn wit zand zit, zoals een schilder dat soms door z'n verf mengt. Een beslagen ruit zou hier niet deftig genoeg zijn.

Hij tekent en schildert Frédérique om wat verloren gaat, de jeugd, als die nog net niet is weggeglipt. Hier loopt ze nog rond, half-en-half in haar eigen vergetelheid. Iets jongs gaat teloor en toch heeft Balthus het steeds weer betrapt, de tegenstelling vult alle kamers.

Ook in de zitkamer hangt niets meer aan de muur, al zou ik nog zo graag iets willen stelen. Ik geef haar het boek van Ford. Ze bladert erin, 'geen plaatjes,' zegt ze spijtig. Ze bladert door en dan zijn ze er toch, de schilderijen, in zwart-wit, Balthus keert terug naar Chassy.

Ze kijkt naar zichzelf, staand voor 't raam, in '55. Wat er van haar is afgepakt of wat ze zelf heeft uitgeleend om de jeugd toch nog ergens voorgoed te laten bestaan.

Het is dat raam daar, wijst ze en loopt erheen. Ze doet de ramen open en kijkt naar buiten.

Bij het afscheid staat ze op de trap voor het kasteel, kijkt schattend naar me en vraagt, 'zeg, is dat eigenlijk normaal, zo'n lange broek over je schoenen...'

Die avond raak ik in gesprek met de baas van m'n hotel, het ligt een kilometer of twintig van Chassy. Hij kent het kasteel, maar heeft geen idee dat er nog steeds iemand woont. Van Frédérique en ook van Balthus heeft hij nog nooit gehoord.

La grande vadrouille kent hij wel en hoe! 't Is een van

Frédérique Tison, Chassy, Montreuillon, 2012. *Foto K. Schippers*

z'n lievelingsfilms, hij heeft 'm en kent het verhaal van de brug, 'of moet ik u er even heen rijden?'

'...nee, nee...'

'Het is niet ver.'

'...laat maar zien.'

Even later zitten we te kijken, *fast forward*, zo gebeurd. Eerst nog een persoonsverwisseling in een dorpshotel, de Funès komt in het bed van een Duitser terecht.

In het geniep verlaat hij het hotel, samen met Bourvil. Ze zijn als Duitsers verkleed, met twee honden aan de lijn. De hotelhouder knikt naar me, zo van 'nu komt het'.

Daar heb je de brug, je ziet 'm hoog van boven, in het dal aan het water en nu weet ik pas waarom de vader van de jongen z'n ogen dichtdeed. Het moest overdag donker zijn. Bourvil en Louis de Funès, ze komen eraan, op de brug van de Romeinen. De honden wijzen ons de weg, midden in de nacht.

Marilyn

Hotel Seminole Ritz, Florida, jaren twintig. In de nachtclub speelt een damesorkest, violen, saxofoons, een harp. De blonde zangeres Sugar Kowalczyk draagt een glitterjurk met bandjes op de schouders. Ze begint vrijwel meteen te zingen.

I wanna be loved by you
just you and nobody
else but you

Kowalczyk of Sugar Cane, zoals ze zich kortweg noemt, zoekt haar nieuwe vriend, een miljonair, in het publiek. Ze beweegt haar hoofd heel licht, professioneel, de beweging hoort bij haar zang. 'Blijf naar hem uitkijken', schreef ze in het gele boekje met haar dialogen, dat ergens op een stoel moet liggen.

I wanna be kissed by you
a-l-o-o-o-n-e
poop-poop-pa-doop

Dan wordt de muziek vager, maakt plaats voor een gesprek tussen Daphne, bas, en Josephine, saxofoon. Praten ze bij hun optreden niet iets te hard over hun liefdesavonturen? De zangeres gaat bij het tweetal zitten en pakt haar ukelele. Ze moet nu iets over de afwezige vriend tegen Josephine zeggen, maar wat en hoe?

Sugar Cane heeft net nog even in het boekje met de gele

kaft gekeken. Het is zo gekreukeld dat het uit elkaar dreigt te vallen. Sommige herschreven dialogen zijn er met cellotape ingeplakt.

Kijk, daar staat het, 'Geloof dat hij...', nee, niet vertalen, anders hoor je haar stem niet meer, 'I guess he is not going to show up, it's five minutes to one, you suppose he forgot.' Zo zal ze het tegen Josephine zeggen, geen letter afwijken, de regisseur is streng. Met een balpen heeft ze er in de kantlijn iets bij geschreven, 'Bring into the scene the song I've just finished'.

Is het een tip van de regisseur of van haar persoonlijke coach om op de kinderlijk klinkende erotiek van 'I Wanna Be Loved by You' verder te gaan? De andere aantekeningen in het boekje zijn net zo persoonlijk, het moet haar eigen opvatting zijn.

Marilyn Monroe – Goldwyn Studios, N. Formosa, dat staat op het omslag. De titel van de film, *Some Like It Hot*, heeft ze er niet bij gezet en ook de naam van de regisseur, Billy Wilder, ontbreekt.

Het is Monroe's 'promptbook', iets wat ze snel even inkijkt, met haar eigen dialogen. Geen scène wordt beschreven, niets over de bassist en de saxofonist die, als leden van een damesorkest, aan een stel gangsters proberen te ontkomen. Zelfs de tekst van Jack Lemmon (Daphne) en Tony Curtis (Josephine), haar belangrijkste medespelers, staat er niet volledig in. Alleen steeds hun laatste woorden, dan weet Monroe precies wanneer Sugar Cane moet beginnen.

Bij een volgende scène, als 'just imagine me Sugar Kowalczyk from Sandusky, Ohio' toch nog op het jacht van haar miljonair terechtkomt, geeft ze zichzelf opnieuw raad: 'Enjoyment of life – love of all the little things.'

En als ze op het enorme jacht, met de in een man veranderde Josephine, naar de salon loopt te zoeken, heeft ze deze leidraad: 'All I have to do is play *That* moment'. Gra-

55. (Cont.) 55.

..........closet space.

Oh in here

56. INT. SALON OF YACHT 56.

It's exquisite like a floating mansion

..........for a bachelor.

What a beautiful fish

..........off Cape Hatteras.

What is it

..........herring family.

A herring isn't it amazing how they get those big fish into those little glass jars

..........champagne?

I don't mind if I do

..........say at sea.

Marilyn Monroe, promptbook *Some Like It Hot*, 1958, Goldwyn Studios, N. Formosa

cieus en ingehouden nieuwsgierig, zo doet ze het, hier kan haar leven opnieuw beginnen.

Het duurt even voor ze de salon vinden en ineens staat het er, *Alice in Wonderland*, groot en verticaal, in hetzelfde aarzelende handschrift. Zo moet Sugar er volgens Monroe uitzien, verbaasd als Alice en dan ook nog verliefd. Onder Alice staat nog iets, *Coney Island*, of het wonderland voor een zangeres als Sugar te chic zou zijn.

Het boekje was hoogst praktisch bedoeld. De actrice had soms moeite met de eenvoudigste dialoog. 'Sugar, it's me,' ze zei het steeds weer. Het kostte tientallen opnamen om er 'It's me, Sugar' van te maken.

'Where's that Bourbon,' ze kon het niet over haar lippen

krijgen. In de film zie je het haar niet zeggen. Je hoort het alleen als ze de fles in een la zoekt. Haar rug is naar de camera gedraaid.

Het was lastig en toch kon het Wilder niet veel schelen. Hij wist wat hij ervoor kreeg. 'Zelfs m'n tante in Wenen kan zich die regels herinneren,' zei hij. 'Maar wie betaalt er een dollar om m'n tante te zien?'

Als je het promptbook leest doen de vergissingen er niet meer toe. Door Monroe's commentaar wordt je een blik in de beweegredenen van een sprookjesfiguur gegund. 'Delighted coming in, trust it, enjoy it', schrijft ze, als ze met Curtis de salon eindelijk binnen gaat.

'Be brave', spreekt ze zichzelf moed in. 't Is of je de geheime aantekeningen van Alice leest, die je, los van Carroll, vertelt hoe ze zich erop voorbereidt om dat grote been door een raam te steken.

Het boekje is maar klein, 14 bij 17 centimeter. Ze moest het in haar tas of in haar zak kunnen stoppen. 't Is tot het miniemste vlekje en de lichtste krinkel toe nagebootst.

Het plakband zie je door een bladzijde heen schijnen. Zelfs Monroe's vingerafdrukken zijn meegekomen. En dit promptbook zit dan nog in een veel groter boek met zo'n uitsparing in het omslag, waar je Monroe's tekst uit kunt trekken.

Dat boek weegt meer dan twee kilo. Het heet *Some Like It Hot* en het is in geel leer gebonden. Er staan veel kleurenfoto's in. Je ziet de acteurs voor hun zwart-witfilm aan het werk. Het boek bevat niet alleen het script, maar ook de kleinste bijzonderheden die de twee samenstellers, Alison Castle en Dan Auiler, over de in augustus-oktober 1958 gedraaide film konden verzamelen.

Zo is de stoomwolk, die uit de trein langs Sugar Cane schiet, na een klacht van Monroe ontstaan. De wolk met de schelle treinfluit staat niet in het script. Bij de rushes ontbrak er iets aan haar eerste opkomst, ze wist niet precies wat. Wilder ging erop in, verzon samen met z'n vaste schrijver I.A.L. Diamond de wolk en draaide de scène opnieuw.

Hij kreeg het idee voor *Some Like It Hot* toen hem een oude Duitse film, *Fanfaren der Liebe*, te binnen schoot. Lemmon vertelt hoe een door Wilder bestelde dragqueen uit Berlijn hem moest leren hoe een vrouw loopt. Hij deed het zo perfect dat het onhandige nabootsen verloren ging. Lemmon moest erop terugnemen, anders werd hij werkelijk een travestiet en was z'n rol niet komiek meer.

De grote overwinning voor Daphne en Josephine kwam pas toen ze samen met Monroe naar de *ladies room* gingen en geen vrouw daar aandacht aan hen besteedde. Het ging steeds beter.

Een andere keer stonden ze voor de spiegel met een paar actrices van *Porgy and Bess*. 'Hi girls,' vroegen ze, 'waar spelen jullie in?'

'Niets meer veranderen,' zei Wilder, 'geen cameratest, zo is het goed.'

Curtis vertelt dat de ontwerper Orry-Kelly de maat kwam nemen voor de japonnen. Bij Monroe aangekomen zei hij dat de kont van Curtis er veel beter uitzag dan die van haar. 'He doesn't have tits like these,' zei ze en maakte de knopen van haar blouse los.

Als Monroe het perron op loopt draagt ze de voor Lemmon bestemde zwarte jurk. Die zag ze een dag voor de eerste opnamen in het rek hangen. Ze moest en zou hem hebben. Onder het interview is Lemmon er nog razend over, 't was z'n lievelingsjurk geworden.

Ik haal het promptbook weer uit het omslag, een olifant baart een vlinder. Monroe's aantekeningen zeggen meer over de film dan al die interviews. 'Dont take *their* tone', schrijft ze op de kaft, als een waarschuwing dat het niet te grappig moet worden. En iets hoger, '*What* am I doing, not *how*'.

't Kunnen tips zijn van Wilder of Paula Strasberg, haar coach van de Actor's Studio. Het ging zover dat Monroe na iedere take vlug naar Strasberg keek. 'How was that for you, Paula?' riep Wilder een keer sarcastisch. Daarna werd Strasbergs bemoeizucht, volgens Curtis, minder.

Op een kleurenfoto zie je Monroe aan het strand, vlak bij het hotel in San Diego, Californië, waar een groot deel van de film zich afspeelt. Ze ziet er vermoeid uit, het ene oog ernstig, het andere hoogst melancholiek. Het gezicht van Sugar Cane, kinderlijk en sexy, is verdwenen.

Jack Lemmon staat naast haar. Ze hebben, samen met Curtis, net de strandscène gespeeld. Een paar wonderlijk snelle takes, er hoefde nauwelijks iets over. Monroe hield rekening met het luchtverkeer en schatte wanneer er een vliegtuig over kon komen.

'Now really is *my* change', schrijft ze, als Sugar Cane op het strand over het met opzet uitgestoken been van miljonair Curtis is gestruikeld. Sugar bukt zich, kijkt hem weergaloos aan, veert weer op en loopt, nee, springt weg, 't moet volgens Monroe 'very ladylike' gebeuren.

De verandering van Marilyn in Sugar, op bijna elke bladzijde gebeurt het. Met lichte verbeteringen probeert Monroe Sugars bewegingen en stem te bereiken. Soms moet je haar handschrift onder een vergrootglas bekijken. Dan lees je dat ze iets simpels als 'It's not much of a band' toch nog in 'This is not much of a band' verandert.

Het gele boekje krijgt iets van een werktestament. 'My part – it's not more important than life', schrijft Marilyn Monroe. Daaronder vat ze haar stijl samen, '...being private in public', met als toevoeging, het keert een paar keer terug, dapper zijn, 'to be brave'.

Naar Mechelen

Ik loop over de Grote Markt in de richting van het station en denk aan Gerard. Vlak bij school probeerden we zo langzaam te fietsen dat we in de Bosboom Toussaintstraat ongeveer stilstonden, sur place, als in het stadion.

Een paar jaar later zaten we in een bovenhuis van dezelfde Bosboom, Gerard en ik. Daar werkte hij als secretaris van een Spanjaard die in allerlei producten handelde.

Hij had een abonnement op dit soort enigszins vage figuren. Zo ontmoette hij eens een operazanger, die hem vroeg of hij wilde nagaan wat z'n vrouw overdag uitspookte. Gerard deed verslag van haar omzwervingen. De operazanger heeft hij daarna, geloof ik, nooit meer gezien.

In de Bosboom zat Gerard achter de schrijfmachine waarop hij door de week handelsbrieven schreef. Hij tikte de tekst die op het omslag van ons nieuwe tijdschrift moest komen, 'ik eerst', 'leve de koning', 'we zien wel', de gewoonste uitdrukkingen.

Nog een stuk Grasmarkt, dan even de heuvel op, daar heb je het station. Henk deed vanuit Zweden, waar hij als ober werkte, meteen mee. Een naam hadden we al, *Barbarber*, een verspreking van Gerard, op een middag dat we weer 'ns langzaam probeerden te fietsen, dit keer op het Singel, bij de Bloemenmarkt. Zo zetten drie jongens hoe ze al op de hbs met elkaar praatten een leven lang voort.

Wat zijn de treinen in Brussel stipt. Op het Centraal Station staat iedereen gewoon voor een loket en toch duurt het korter dan als je wacht bij zo'n gele machine in Amsterdam.

Zoveel ongelijke echo's in de stationshal, een kaartje naar Mechelen, hij gaat om de tien minuten.

Gerard vouwt het tijdschrift in de lengte en toen kreeg het de vorm waarin Laurel & Hardy, sigarettenvloeitjes, aftandse moppen, munten, Jan Hanlo, kindergedichten, goed brood, behangstalen, half mislukte kiekjes en Edward Lear met elkaar konden optreden.

In de trein wemelt het van de tieners, in kluiten bij elkaar, zittend en in het gangpad. Aan iets beweeglijks in hun armen en benen zie je dat ze hier niet lang zullen blijven, komen ze van school, nee, ze hebben net iets gezamenlijks gedaan.

Het is zondag. Pas op dinsdag heb ik in Amsterdam een afspraak met Henk. Of moet ik eerder gaan? 'Zo'n aangezegd einde blijft onvoorstelbaar,' schreef hij me kort voor Gerards verdwijning, 'alsof ik door een omgedraaide verrekijker naar de momenten kijk waarop wij met z'n 3-en bij elkaar zaten en *Barbarber* in elkaar zetten. Zo'n luchtige, prettige herinnering waarover nu een schaduw dreigt te vallen.'

'Voor *Barbarber*, tegen de kanker,' zei hij door de telefoon tegen Gerard, die begon te lachen. Henk kon toen nog niet weten dat hij zelf ziek zou worden.

De trein stopt, de naam van het station ontgaat me. De scholieren stappen uit, praten in zo'n sliert tussen de stoelen, alsof ze over alles een mening hebben.

Henk zei eens dat Gerard zijn best deed eruit te zien als een gewoon mens. Dat zit denk ik ook in alles wat hij schreef. Zo vraagt Gerard zich af of het optrekken van schouders en harder lopen, of dat wel helpt in de regen en toch doet bijna iedereen het, om minder nat te worden. Hard hollen is nauwelijks de moeite waard, schrijft hij.

Henk kwam een paar jaar na ons op school. Hij speelde piano à la Erroll Garner, schreef in de schoolkrant, trad op in een toneelstuk van Tone Brulin en won op het Famos-toernooi bij declamatie met 'De buigzaamheid van het verdriet' van Hans Lodeizen.

Gerard was in alles z'n tegendeel. Hij probeerde overal aan te ontsnappen en lag nog in bed als je om een uur of twee 's middags bij hem langskwam. De charme van het lui zijn, die beheerste hij. Schrijven, het leek hem niet echt te interesseren, behalve *Barbarber*, dat wel.

Hele zinnen van Céline kende hij uit z'n hoofd, 'je fais caca comme un oiseau entre deux orages', ik scheet als een vogel tussen twee onweren.

Hoe zat het ook weer, na zes nummers van BBB vertrok Gerard in 1959 naar Ghana om daar fototoestellen te gaan verkopen. Hij heeft er de vrouw van de ambassadeur op Koninginnedag in het zwembad geduwd. Vier jaar later keerde hij naar Nederland terug.

Uit het tijdschrift van de man naast me glijdt een bedrukte kaart, een vrouw raapt de kaart op en geeft hem terug aan de man. Hij draait 'm even om en doet de kaart dan in zo'n metalen prullenbak van de trein.

Ik ken Gerard vanaf mijn veertiende. Alles hebben we samen met Henk ontdekt, de film, de jazz, dada en Schwitters in de zijvleugel van het Stedelijk. Met niemand heb ik zoveel gelachen.

Gerard nam het liefst een boot om in de Gaten van Oost-Indië, tussen 's-Graveland en Nederhorst, te gaan vissen, in alle stilte. 'Nacht nog,' schreef hij, 'maar dat stoort ons niet, integendeel, het riet is vochtig.'

Er is lang gedacht dat hij een tuinman was en sommigen geloofden zelfs dat hij in het geheel niet bestond, zo had hij zichzelf weggemaakt.

Hij was productief de laatste tijd. Vorig jaar is z'n dichtbundel *Weerloos overgeleverd* verschenen en *Donker Afrika*, over z'n belevenissen als zakenman in Ghana, was zo goed als af. Dat vertelde hij mij tenminste. Je wist het bij hem nooit helemaal zeker. Hij had er meer dan dertig jaar aan gewerkt.

Mechelen is niet ver, over twintig minuten moet ik eruit. Goed op de naam van het station letten, zeker in dit landschap van weilanden, die weer eens erg hun best doen op elkaar te lijken.

Een gewoon mens, het laat me niet los. Over z'n eigen voorkomen is ook Gerard niet helemaal zeker, zie het lemma 'Brands, G.' in het *Barbarberalfabet*. 'Hij heet G. Brands', zo begint het en dan volgen enkele kenmerken die aan een jager of boswachter doen denken, 'maar dat was hij niet.'

Henk zag ik op de dag na Gerards verbranding. Hij vertelde iets over z'n aangezichtspijn, veroorzaakt door een tumor in een speekselklier. Morfine hielp hem de nacht door. Toch leek het hem iets plaatselijks, je kon het vast overwinnen.

Een kleine week later was het mis. Hoe beperkt het ook had geklonken, het bleef niet bij de speekselklier. Uit onderzoek bleek dat het zich over z'n lichaam had verspreid. Hij bleef opgewekt en dacht dat het nog wel een halfjaar kon duren. Waarom niet, zei ik, die dingen gebeuren.

Mechelen, daar heb je het bord op het perron, toch nog goed opgelet.

Henk zei tegen me dat hij z'n werk had afgerond. De laatste twee jaar meer geschreven dan ooit, 'alsof ik het wist.' Een paar dichtbundels, memoires die geen memoires zijn, lachte hij, en dan nog een roman over een meisje dat haar vader ten onrechte van incest beschuldigt.

'Als die inspecteur van politie op een waddeneiland?'

'Ja, maar dan een ander geval.'

In Mechelen heb ik in een boekhandel afgesproken met Ann Meskens, ze schreef een boek over Jacques Tati. De Zondvloed heet de boekhandel en hij wordt door Ann en Johan Van Broucke geleid. Tatiana De Munck komt ook, zij illustreerde Anns verhaal over Tati.

De lange zondagse straten van deze in kant gehulde stad. Nicola had Henk gevraagd welk gedicht ze voor moest lezen op de crematie van haar vader. Henk noemde Hanlo's 'Wij komen ter wereld', waarin het leven op aarde zich achterstevoren afspeelt, beginnend in het graf. Weer zei hij het met een lachje, alsof het lot toch nog van gedachten kon veranderen.

Waar kan ik hem dinsdag mee vermaken?

Er schiet me een gesprek te binnen uit Le Cirio, het café vlak bij de beurs.

'Ik was er niet.'

'O ja.'

'Nee, nee, echt niet.'

'Je wist misschien zelf niet dat je thuis was.'

En even later, dezelfde twee vrouwen, vriendinnen zo te zien.

'Ga er toch niet heen.'

'Nee?'

'Nee, nee.'

'Je gaat zelf toch ook.'

'Als ik er zelf niet heen moest, was ik er ook niet naartoe gegaan.'

Linksaf, zo'n honderd meter verderop, daar moet het zijn. Ik houd m'n pas in om naar Bill Evans te luisteren. Hij is er, zomaar.

We zijn in Londen, in '69, bij Ronnie Scott, in Frith Street. 't Is een *double bill*, Blossom Dearie en Evans, vlak na elkaar. 'I like you, you're nice...' zingt Blossom.

Dan Evans aan de piano, 'If You Could See Me Now'...,

'Stairway to the Stars'... een tinkelend niets.

De grote bril glijdt naar de punt van z'n neus, hij duwt hem terug en speelt verder alsof er geen vaste klanken bestaan. Ik kijk opzij, hier is Henk rechtstreeks op aangesloten.

's Avonds zitten we bij Tatiana De Munck en Koen De Coster, een oud huis in een korte straat. Koen vertelt dat hij filosofie doceerde aan de universiteit van Leuven, zo duidelijk mogelijk, dan kan iedereen het begrijpen. Daar kwam kritiek op; de filosofie was iets voor vakgenoten.

Dat verschil van mening werd niet opgelost. Koen hield de eer aan zichzelf en nam ontslag. Hij werd belastingconsulent en dat bevalt hem goed.

Tatiana en Koen hebben een Franse mopshond, helemaal zwart met een plat gezicht dat aan één stuk door vriendelijk probeert te kijken.

'Op dit moment laat ik anders de hond uit,' zegt Koen verlegen.

Iedereen gaat mee. Koen vertelt dat ze in het park soms een vos tegenkomen. Het dier heeft veel aandacht voor de hond. Aardig verhaal, denk ik, maar zoiets gebeurt alleen als je er niet op verdacht bent. Zomaar, dan kan het, niet op bestelling.

Mechelen 's avonds, zodat je er niet veel meer van ziet... in het park kom ik naast Ann te lopen. Je bent het niet eens van plan, een beetje misschien, en dan loop je naast iemand tegen wie je toch wel iets wilt zeggen. Het is er alleen nog niet van gekomen.

Ik vertel haar iets over Henk, 'ik ken hem vanaf m'n zestiende...'

'...wat erg...'

'Ik ga dinsdag naar hem toe.'

'Is dat niet te laat?'

'Zo is het afgesproken... heb dinsdagmorgen nog een workshop.'

'Dan zeg je dat toch af. Ga vanavond nog, dit is het hoogste in de rangorde der dingen,' zegt ze stellig. Ik aarzel, 'je moet gaan,' houdt ze vol.

Koen wenkt, hij loopt voor in de groep, kijkt over z'n schouder. Hij zegt iets, zacht... *vos*... ik zie het aan de stand van z'n lippen... *vos*... het dier mag niet horen dat hij het zegt.

Ik kijk om me heen, voorzichtig, alsof ook een beweging geluid kan maken... en daar heb je 'm... zomaar... niet rood maar van een licht roodgeel met grijze tinten ertussen, ook op de pluimstaart.

Nu springt de hond iets naar de vos toe, hij blaft niet. De vos blijft staan, midden op het pad, niet eens zo ver van Koen en dan verdwijnt de vos in het anonieme... in het niets, verkleed als struikgewas... voor dit soort verdwijningen speciaal gesponnen...

En dan staat hij er weer... tussen z'n verdwijning en z'n terugkomst niet eens een minuut, schat ik, even gedaan of het hem om iets anders ging... het najagen van een geur en dan is hij er weer, zonder dat hij kijkt van had je me dan niet verwacht.

Hij maakt van die sprongen of hij heel laag-bij-degronds van plan is steeds ergens anders heen te gaan en toch is hij straks weer terug bij de hond. Dan zijn ze stil, tot de vos niet meer terugkomt en Koen met de hond ook maar wegloopt, met ons achter hem aan.

'Wat vond je het leukste aan hem?' vraagt Ann over Henk.

'We stonden een keer op het strand van Bergen aan Zee... ik vertik het wel eens tot Nergens aan Zee,' Ann lacht.

'Plotseling was er een grote binnenzee, hoe moesten we terug?'

'Jullie hadden je kleren nog aan?' vraagt ze.
'Onze schoenen ook en het was al behoorlijk diep. Wat doe jij, vroeg ik aan Henk.'
'En?'
'Ik loop erdoorheen, zei hij. Mag ik dan op je schouders, vroeg ik. Hij vond het goed.'
De volgende dag worden we in Brussel gebeld uit Amsterdam. Henk is verdwenen.

De landkaart

De huid van de danseres straalt, als je op de achterste rij naar haar kijkt. Op de foto in het programmaboekje lichten haar hals, schouders en armen op zonder dat kunstlicht er invloed op lijkt uit te oefenen.

Sinds ik haar een jaar geleden voor het eerst heb gezien, kom ik haar huid op allerlei plekken tegen. Op een kijkdag van Chinees porselein met een schaal uit de Y-dynastie. Door het glazuur komt een mengeling van blankheid en licht. Het wit overstraalt de felle kleuren van het andere serviesgoed.

Ook aan de hemel is haar huid te zien. Niet 's nachts, dan zijn de sterren bijna geel, met enkele druppels wit. In de eerste minuten dat ze zichtbaar worden heeft het wit de overhand, als de duisternis nog niet is ingevallen.

Ze heeft bij Merce Cunningham gedanst. Haar werk bij deze vernieuwer is me ontgaan. Ik zag haar in New York bij een jong gezelschap, dat zich niet vastlegt op een bepaalde stijl.

De verhalende dans à la Petipa gaat op in de grafiek van Balanchine. De symboliek van Martha Graham verandert in de dagelijkse stappen van Cunningham. Folklore vermengt zich met kinderspelen en dan ontgingen sommige toespelingen me nog.

Ik ben niet dol op het citaat. Welke theorie er ook een reden van bestaan aan geeft, het blijft grappig leentjebuur spelen bij anderen. Bij te veel ironie verliest een beweging haar geloofwaardigheid. Dat gevaar hadden de Amerikaanse dansers onderkend.

Elke pas is ernstig. Door de grote tegenstellingen heeft een beweging wel iets van een beminnelijke vergissing die vlug met een paar andere stappen moet worden gecorrigeerd.

Na de dans krijgt elk gebaar ook buiten iets voorlopigs. De voorbijgangers kunnen maar niet beslissen in welke stijl het oversteken van een zebrapad, het openen van een auto en het groeten van een bekende moeten worden uitgevoerd.

Een jaar later ben ik op een opening in een Amsterdamse galerie. Er wordt werk geëxposeerd van een Amerikaanse schilder, dat verwant is met de dans die ik in New York heb gezien. Elke voorstelling is anders, Matisse of Lichtenstein, Pollock, Hopper, Vasarely of Bacon, gebruikt heeft hij ze, niet gekopieerd. Hij is nog net te herkennen aan een stippelige verfstreek, zodat het lijkt of de hele kunstgeschiedenis door Seurat wordt verteld.

Ze komt in de verte achter twee bezoekers vandaan, haar huid licht even op. Ik weet dat ze volgende week in Amsterdam zal optreden. Het kwam niet bij me op dat ze bij deze opening zou zijn. Ze kent de schilder vast uit Amerika.

Hier gaat ze half-en-half schuil achter anderen. Soms zie ik haar schouder, dan weer een arm, de hals, het profiel, haar rug. Zwart T-shirt met een ronde hals, mouwen tot onder de elleboog.

Iemand tikt me op een schouder, ik draai me om. 't Is een kennis. Ik maak een gebaar naar andere bezoekers, iemand verwacht me.

Waar is ze gebleven? Achter in de galerie, daar staat het publiek dicht op elkaar. Ik moet een route bedenken om er te komen, zo druk is het. Daar links is nog een doorgang.

Ik loop om een paar mensen heen. Kan haar nog overslaan met zo'n half neutraal gezicht dat een onbekende even schat. Het licht van haar huid is gedoofd. Je ziet het alleen van een afstand, zo verdwijnt een gerasterde foto wanneer je de stippen van dichtbij bekijkt.

Ik zeg dat ik haar in New York heb zien dansen.

'Ga je deze week weer?'

'Zeker, zeker.'

Ze kijkt spottend – met half opgetrokken wenkbrauwen. Mijn ogen dwalen af naar haar hals en de lijn van de rug die net boven de sleutelbeenderen uitkomt.

'Dat litteken,' ze wijst naar een streepje op de lachrimpel van haar rechterwang, 'wil je weten hoe ik eraan kom?'

'Nou, nee...'

'Marseille, toen ik zes was... m'n broertje gooide een schep naar m'n hoofd,' je hoort de klinkers van iemand die in Californië is opgegroeid.

Ze draait haar linkerhand naar mij toe, een verkleuring tussen de wijsvinger en de duim.

'Het was in Caïro... maakte voor het eerst een blikje sardientjes open.'

'Het valt niet op.'

'...een jaar of twaalf was ik toen...'

In haar jeugd reisde ze nog meer dan nu. Ze heeft in Ethiopië en Denemarken gewoond, Brazilië, Canada. Haar vader is een Amerikaanse diplomaat.

Ze gelooft dat je iemand pas leert kennen door de verhalen over z'n littekens. Elk mens heeft er minstens zes. Wil ik een afspraak maken? Dan kan ze me de andere ook laten zien.

Een week later, een paar dagen voor de première, loop ik naar het adres dat ze mij heeft opgegeven. Had ze gezien dat ik haar zocht? Misschien is ze daarom, zonder dat ik het merkte, naar mij toe gelopen. De littekens waren het antwoord op mijn blikken.

Ik bel aan bij een huis in de Jordaan. Twee trappen op, daar staat de Amerikaanse schilder. Hij gaat mij voor naar een grote ruimte, zegt dat ze zo wel zal komen en verdwijnt weer.

Het is licht in het spaarzaam gemeubileerde vertrek. In de linkermuur zitten drie hoge ramen. Een lange tafel, met wel tien keukenstoelen eromheen. Minnie Mouse en Donald Duck kijken op me neer. Ze zitten bij elkaar op schoot in stippelstijl.

Boeken en tijdschriften, in slordige stapels op de grond. Pakken en broeken aan de muur, schoenen tegen de plint. Interieurs van jonge kunstenaars hebben iets voorlopigs. Niets in hun woning staat nog vast. Elk ogenblik kunnen ze vertrekken.

Op een stoel ligt een opengeklapte kist, zonder viool. De te korte poot van een tafel is verlengd met het *Alice B. Toklas Cookbook*.

Ze komt binnen. Een kat deint naar een schoteltje melk. De danseres is hier te gast, geen voorwerp, meubel of dier kan ik met haar verbinden. Ze eindigt bij haar eigen huid.

Haar zwarte jurk heeft acht knopen, van de hals tot net boven de zoom. Ze vraagt of ik morgen nog naar de voorstelling ga, 'natuurlijk.'

De groep reist door naar Duitsland en Scandinavië. Amsterdam bevalt haar wel, ze is er nu drie keer geweest. Soms denkt ze wel eens dat ze danst om al die verplaatsingen uit haar jeugd te kunnen voortzetten.

Ze loopt naar het midden van de kamer, knoopt haar jurk los en laat die op de grond vallen. Het gaat zo vlug dat ik mij er niet eens over verbaas.

Als een danseres zich na afloop verkleedt, is haar lijf niet erotisch. Dat heb ik 'ns in een kleedkamer gezien. Het naakt zit tussen de dans en wat er straks gebeurt in, praten, drinken. Het wil in die lege ogenblikken niets voorstellen.

Haar huid licht niet op, ik zit te dicht bij haar. Ze wijst naar een litteken, rechts op haar buik. Het is niet zo goed gehecht, twintig jaar geleden in Rome. Een diepe moet op haar linkerarm, een inenting tegen pokken – vlak voor ze vertrok naar Buenos Aires.

Elk gebaar krijgt de abstractie van een danseres. Tussen ons in de ruimte, tussen de zaal en het toneel, tussen een bezoeker en een artiest.

Ze keert zich om, een heup gaat iets omhoog, draait haar rug naar mij toe. Het litteken lijkt op een bol, met een kleurpotlood geschetst, alsof ze door een ster is gekust.

De omtrek is vaag, een oplopend tintverschil, van roze naar gebroken wit. Een pan met heet water, een brand? Geen verklaring mag deze dans bedekken.

Het gaat niet om de loop der gebeurtenissen. Wat in haar huid is gebrand, hoort niet bij het leven van alledag. Het sterrenbeeld is dichtbij en onbereikbaar.

Ze gaat naar de kleedkamer, trekt haar jurk aan en loopt naar mij toe. Weinig tijd, ze moet aan het werk voor de generale repetitie.

Bij de première zit ik op de achterste rij. Langzaam, snel, nog vlugger, verspringt de topografie. Rome passeert Ethiopië, Buenos Aires ligt in Denemarken, Marseille zwenkt naar Canada.

In een oogverblindend licht danst ze de hele globe aan stukken.

Het Rudy Kousbroekplein

In de winter van '45/'46 voer het troepentransportschip Noordam van Sumatra naar Nederland, met aan boord vijftienhonderd repatrianten, onder wie de familie Kousbroek, een echtpaar met één zoon, die Herman Rudolf heet, net als zijn vader.

De jonge Rudy Kousbroek was zestien jaar oud en hij herinnerde zich later wat hij bij aankomst in Amsterdam kreeg, 'een identiteitsbewijs, een distributiestamkaart, drie scheerkwasten en een brief van koningin Wilhelmina'.

Zijn vader scharrelde eerst wat met adressen, Keizersgracht 104, bij de Reguliersgracht, vlug daarna de Gerrit van der Veenstraat 26, die een klein jaar eerder nog de Euterpestraat heette.

In september vertrok de familie naar de Elzenlaan 63 in Hilversum. Het huis lag vlak bij een bos. Daar woonde Rudy Kousbroek toen hij in '46 met de trein en de tram voor het eerst naar een Amsterdamse middelbare school ging.

Wat later verhuisden ze naar het Sarphatipark. Op de korte zijde, het dichtst bij de Amstel, woonde Rudy op nummer 131, eenhoog, een huis met een witte erker en op vierhoog een zolderkamer met dakkapel: daar sliep de jeugdige repatriant uit Nederlands-Indië. 'Hoe komt het trouwens dat men de aanblik van zijn eigen kindergezicht in de spiegel vergeet?' vraagt hij zich in *Een passage naar Indië* (1978) af.

Nadat hij in 1948 op het Amsterdams Lyceum aan het

Valeriusplein zijn eindexamen had gedaan, ging hij wiskunde studeren aan de gemeentelijke universiteit. Speciaal voor hem kwam er een aparte bel op de deur, 'zodat meisjes naar boven konden sluipen,' zei hij in 1986 tegen Lien Heyting, 'maar er belde nooit een meisje aan.'

Vlak bij het Sarphatipark waren twee bioscopen met art-deco-gevels, Rialto en Ceintuur en dan nog Cultura (het latere Cinétol), waar Gerard Reve vaak naartoe ging. Ook hij woonde er niet ver vandaan, op de Jozef Israëlskade. Ze kenden elkaar toen nog niet.

De negentiende-eeuwse Pijp, waarin het Sarphatipark ligt, was een van de somberste buurten van de stad. Er was een markt op de Albert Cuyp, maar verder gebeurde er zo goed als niets. Er hing een genadeloos licht. Uitbundige kleuren kon je er niet vinden, een groot gemis voor iemand die net uit Nederlands-Indië kwam.

Ik loop het park in dat tien maanden voor Kousbroeks komst nog het Bollandpark heette, naar de antisemitische filosoof. In 1943 was het de verzamelplaats bij een van de laatste razzia's. Achter een cirkelvormige omheining staat een beeld van de stedenbouwkundige Samuel Sarphati (1813-1866), dat in de oorlog in het Stedelijk Museum werd opgeslagen.

Toen Rudy Kousbroek (Pematang Siantar, 1929 – Leiden, 2010) neerstreek in de barre Pijp, waren de herinneringen aan zijn gevangenschap nog vers. Hij had in drie Indische kampen gezeten, het laatste heette Si Rengo Rengo op Sumatra, midden in de wildernis.

Het Sarphatipark is niet groot, het heeft een zwevende brug, gemaakt van boomstammen. Het schiet me te binnen dat ik Kousbroek jaren later, hier niet ver vandaan, eens op een feest bij Lien Heyting en Hans Ree tegenkwam. *Het Oostindisch kampsyndroom* (1992) was toen net uit.

Dat boek telt bijna vijfhonderd bladzijden en het gaat, ja, waar gaat het over? Naar Multatuli wordt het een pak van Sjaalman over Nederlands-Indië genoemd, van alles komt erin voor, niet alleen het kamp, maar ook de radioprogramma's van 29 en 30 april 1935 (*10 u. morgenzang door enkele kinderkoren*), kaviaar in de jungle, het werk van zijn vader als planter op Sumatra en de stem van de Franse zangeres Lucienne Boyer.

Door al die details sluipt er een zekere abstractie in de Indische verhalen. Moest ik dat dan maar over het boek zeggen? Op het feest werd alleen maar gelachen. Er was nauwelijks plaats voor ernst.

'Het onderwerp doet er niet toe.'

'Maar dat is het hoogste,' zei hij.

Sneeuw over Sumatra, zo vat hij in het voorwoord, als een afgewezen minnaar, het verlies van zijn jeugd in Indië samen, een toespeling op het slot van *The Dead*, een verhaal van James Joyce, verfilmd door John Huston.

'Sneeuw over de wereld van open auto's en bestuursambtenaren in witte pakken', schrijft Kousbroek, 'over de beschutte baaien met goedangs en KPN-stomers, over de bruine rivieren en de zilveren spoorbruggen, de roodbruine daken tussen de vruchtbomen, sneeuw over de weg die eindeloos onder onze auto doorging, de ossekarren, de rood-met-witte kilometerpaaltjes, de tegelvloeren van ons huis...'

Daar moet hij in Amsterdam aan hebben gedacht, 'het is er nog wel, maar ik hoor er niet meer bij'.

Ik loop terug naar het huis op nummer 131. Vanuit de erker kun je tussen de bomen de speelplaats zien waar ik nu sta. Een lege voorkamer. Het is net of er op eenhoog niemand meer woont.

Hoe ging hij naar het Amsterdams Lyceum aan het

Valeriusplein, in het verre Zuid? In *Stijloefeningen* (1978) staat dat hij elke ochtend en middag de stad door reisde. Eerst moest hij een flink stuk met lijn 3, de halte was ongeveer bij hem voor de deur.

In *Nederland: een bewoond gordijn* uit 1987 zegt Kousbroek dat hem na zijn aankomst vooral de zelfgekozen middelmaat van de Nederlander opviel. Het voedsel kende geen enkele verfijning, 'deugt het weer niet', 'ben je het thuis soms beter gewend', dat kreeg je te horen als je er iets over zei.

In een stuk uit 1992 vindt hij de vroege trams daarentegen heel mooi, klassiek en functioneel, ze geven hem zelfs 'een subtiel gevoel van luxe'.

Ik kan maar beter dwars door De Pijp naar het lyceum lopen, dan zie je beter of nog iets op zijn route hetzelfde is gebleven. Om hem aan het lachen te maken gaf ik hem eens een puzzel die alleen uit witte stukjes bestaat. Hij stuurde me de puzzel terug en toen ik hem had gelegd, kon ik de tekst pas lezen die hij erop had geschreven.

Op de stukjes staat dat hij als kind een fobie had: bepaalde mensen spraken een ander Hollands, dat hij niet kon verstaan, omdat alle woorden een andere betekenis hebben. In het gesprek met Lien Heyting begint hij er ook over. Het heeft hem wantrouwend gemaakt, 'alles wat we hebben zijn taalspelletjes, maar over de werkelijkheid zeggen ze niets'.

Wat is de Pijp de laatste jaren veranderd. Kleine restaurants, Libanees, Surinaams, Vietnamees, Turks, Spaans, vooral aan de kop van de Albert Cuyp, tussen de Ruysdaelkade en de Ferdinand Bol. De kleuren zijn toch nog gekomen, 'bloesemende, bloesemende steen', zou de dichter Arjen Duinker zeggen.

Kousbroek moet er vaak hebben gelopen. Betekenis die al in zijn jeugd zoekraakt of er misschien nooit is geweest.

Soms lijkt het net of hij de gewoonste woorden achterdochtig bekeek. Al die letters en klanken brachten hem alleen maar verder van huis, alsof de eventuele betekenis je door iemand van bovenaf wordt voorgeschreven.

Daar heb je het Museumplein, zoals je het ziet vanuit de Gabriël Metsustraat, met in de verte de koektrommel van het Van Gogh Museum en half zichtbaar, vlak achter het schuine grasdak van Albert Heijn, de badkuip van het Stedelijk, toch nog voltooid.

In *Bewoond gordijn* zegt Kousbroek dat hij, toen hij in Amsterdam aankwam, nog nooit een museum, een theater, een concertzaal of een universiteit had gezien, sterker nog, 'zelfs de aanblik van een gebouw met meer dan twee verdiepingen kende ik alleen van foto's'.

De programmering van het Stedelijk was weer op gang gekomen, met in juni 1946 de expositie *Jonge Schilders* met Appel, Brands, Corneille, Rooskens, een paar jaar voor Cobra. Daar hangt het affiche. In november kwam het eerste overzicht van Piet Mondriaan, die twee jaar eerder in New York was gestorven.

Ik blijf op het Museumplein staan, draai me om en kijk de Van Baerlestraat in, langs het vroegere politiebureau en de sjieke bloemenwinkel waar een bloemstilleven van Johan van Hell hing. Hij speelde klarinet in het Concertgebouworkest.

Lijn 16 rijdt voorbij, binnen maakt een heerschap zich ergens druk over, dat zie ik nog net. Misschien mag ik, nee, ik moet Rudy Kousbroek op weg naar school even voor iets anders onderbreken.

Twee fotorolletjes, helemaal vergeten ze weg te brengen naar de zaak in de verte, aan het begin van de Roelof Hartstraat – foto's genomen een week of drie voor we naar Brussel vertrokken. Ze liggen nog bij mij thuis, ongeveer om de hoek.

Wat maakt het uit, zou je denken, die paar foto's. Ze zijn genomen op 1 september, bij Gerard thuis, op het terras in Waardenburg, zonder te weten dat het de laatste keer zou zijn.

Ach, 't kan wel, Rudy vond *Bolletje* van G. Brands een prachtig verhaal. Een eendenkuiken wordt opgevangen door Gerard en Karin, wat raken ze aan hem gehecht. Dan zoekt de jonge vogel een sloot, een kanaal en hij zwemt tussen de andere eenden weg, helemaal wit, net als hij.

Ik stuif als John Cleese de trap op, zoek de rolletjes en vind ze meteen, in een gleuf tussen een paar boeken. Vroeger hoefde je maar even te bellen en je hoorde hun stem, meteen beet, en nu moet je je suf werken voor een postuum gezicht.

Vlug naar de fotozaak die wordt gedreven door een man uit Curaçao. Wat heb ik bij me, wat staat erop, m'n twee vrienden, dat is zeker, maar hoe?

Een toegift, zo voelt het, Gerard is al weg, Henk wordt morgen verbrand, alsof me vlak daarvoor nog iets levends van hen wordt gegund... hoe ze eruitzien op een moment dat als door een wonder niet verloren is gegaan. Dat denk ik tenminste, zekerheid heb ik niet.

Ik haast me door de Van Baerlestraat. 't Is net of ik m'n vrienden maar 1½ minuut heb gekend en er straks nog van alles bij krijg. Gerards gezicht en profil en links Henk, hij pakt een glas en brengt het naar z'n mond, ik zie het voor me. Op de hoogte van z'n knieën een tafeltje of stond er op het terras zo goed als niets?

Een vriendin houdt me staande, vlak voor een boekwinkel.

'Heb je het gezien?' vraagt ze gulzig.

'Wat... wat bedoel je?'

'*De memoires van een spiegel*... (*ze wijst naar een boek in de etalage*) ...ze zijn uit.'

Ik loop gauw de zaak in, om haar kwijt te raken. Daar ligt een boek met contactvellen, blader er vlug even in. Niet alleen bekende foto's van filmsterren en schrijvers, ook de opnames die ervoor en erna zijn gemaakt, het hele contactvel.

De bron van een scène, je staat ermiddenin. De vriendin komt binnen, 'k ontsnap rustig door een andere deur en loop nu in zo'n grote overvloed aan scènes dat er nooit meer een einde aan zal komen.

De weelde van alles, waaiende bomen, het verkeer, licht op een gevel, niets wordt bekort, geen close, geen totaal wordt je voorgeschreven. De rolletjes genesteld in de holte van m'n hand. Het beschutte verleden, het zal weer tot leven komen, als alles hier, om mij heen.

Ik steek over, de fotozaak bestaat al lang, nog voor Rudy Kousbroek hier met z'n familie neerstreek. In de oorlog speelde de eigenaar de kiekjes van Duitse soldaten toe aan het verzet. Als ik de hoek om ga nog steeds het gevoel dat m'n leven straks voorgoed wordt veranderd.

De zaak is dicht. De man uit Curaçao heeft een stuk karton in de sponning achter het glas gestoken, met viltstift bekrast. Hij is er vandaag niet, waarom, daar heeft hij het niet over.

Dan maar naar de Hema, in de Ferdinand Bol, zes, zeven minuten lopen, die doet ook nog in analoge fotografie. Het liefst zou ik de jongens met een paar bewegingen van m'n vingers uit m'n vuist laten komen.

Een straat, een gracht of een kade, de hele ellende van eerst die kant en dan weer een andere kant op, het moet wel. De waanzinnige behoefte over ze te praten, om ze het leven weer in te jagen. Hij deed er niet aan, zei Gerard, alsof hij de hele † zwaar beneden de maat vond. Hij begon altijd vlug over iets anders, te ordinair. Wie weet zag hij ergens de zwakke plek van de †, maar wat dan en waar?

Het was hem ernst, dat wel, het leek of hij hem doorhad, de †, zoals je ineens ziet hoe je een conservenblik moet openen of een deur. Als ze de † konden privatiseren hadden ze het gedaan, zei hij, denk aan het spoor of de elektriciteit, om er nog een grijpstuiver aan te verdienen.

'Het is een truc.'

'Wat?' vroeg ik verbaasd.

Die klote †, hij wenste zich er niet bij neer te leggen, vloekte 'm het liefst het graf in, dat stuk stront... Als hij er bij voorbaat van had geweten, was hij net zo lief niet aan het leven begonnen.

De Hema is iets sjieker geworden, zo zegt men. Wat hadden de jongens gelachen als ze wisten dat ze in mijn jaszak nog eens de zaak met de tompouce en de rookworst in zouden gaan. Om belicht en zo weer levend te worden, dat denk ik erbij, tegen alle logica in.

Een aparte toonbank voor de fotografie...! Ja, het kan, zegt een bediende en hij wil de rolletjes al in verschillende zakjes stoppen. Over een week klaar, ik neem ze terug, duurt me te lang, al heb ik geen idee waar ik hun gezichten vlugger tevoorschijn kan laten komen. Zo blijven ze in elk geval nog onontwikkeld bij me, hoe schraal die troost ook is.

Lijn 16

Niet ver van het Stedelijk moest Kousbroek overstappen, van lijn 3 op lijn 16, richting Amstelveenseweg. Alle Duitse bouwsels waren nog niet ontmanteld, het plein was een *Stützpunkt* bij de verdediging van Amsterdam. Hij heeft op dit voormalige IJsclubterrein nog bunkers meegemaakt, de geur van urine en verschraalde lucht. Daarnaast had je een zandland met spelende kinderen en mannen die hun hond uitlaten.

De halte was bij het Jan Willem Brouwersplein en het Concertgebouw, met aan de andere kant, schuin over de rails, een reclame van Persil, een vrouw met een kind in haar armen, op een blinde muur.

Hij wachtte op lijn 16, een tram die hij lyrisch in het voorwoord van *Stijloefeningen* beschrijft, het fluitkoord, het open achterbalkon en het metalen luikje in de deur tussen het balkon en de coupé. Als de conducteur het opendeed, veranderde het in een miniatuurloket, 'en dan tikte hij met zijn kniptang op het frame. De plaatsbewijzen, alstublieft.'

Parijs verplaatst naar Amsterdam. In 1947 is *Exercices de style* verschenen, een boek van Raymond Queneau. Kousbroek moest en zou het vertalen, samen met een aantal vrienden, omdat het negenennegentig keer hetzelfde verhaal bevat, in allerlei vormen, van Blijspel tot Flaptekst, van A met een Aba tot Droom, van Boers tot Reuk.

Waar komt het op neer? De vertaler vat het als volgt samen: 'Het speelt in een Parijse autobus van lijn S, tegenwoordig lijn 84: een modieuze jongeman maakt zich kwaad omdat hij op zijn tenen wordt getrapt. Later op de dag, vanuit dezelfde bus, ziet de verteller de jongeman opnieuw. Hij wandelt bij het Gare Saint-Lazare in gezelschap van een soortgenoot, die hem adviseert een extra knoop aan zijn jas te zetten.'

Even denk je dat het onder de titel 'Samenvatting' de honderdste versie zou kunnen zijn. Nee, toch niet. Kousbroek wilde beslist geen Franse straten in een Nederlandse vertaling. Hij koos voor lijn 16, het Concertgebouw en het Jan Willem Brouwersplein omdat hij die buurt vlak na de oorlog zo goed had leren kennen, 'dezelfde periode waarin *Exercices de style* zich afspeelt', schrijft hij.

Sindsdien hoort het hele verhaal bij de Amsterdamse geschiedenis van vlak na de oorlog, de tram, de halte, de gezichten. In *Restjes* uit 2010 heeft Kousbroek het over de gezichtsuitdrukkingen van die dagen, als op een vroeg schilderij van Willink: deftig of burgerlijk zelfingenomen en aan de andere kant de nederige of zelfs schuwe oogopslag, 'met als extreem de paardachtige afgesloofdheid, het masker van hard werk'. Wie in die tijd is opgegroeid herkent het meteen, dit zijn de trampassagiers in 1947.

Lijn 16 stopt, ik stap vlug in, het fluitkoord schelt, even later wordt een dandyachtig type op z'n tenen getrapt, of zie ik het verkeerd, niet mee bemoeien, hij maakt er een hele zaak van.

Aan Kousbroeks talent voor bewondering hebben we de Amsterdamse *Stijloefeningen* te danken. In het voorwoord noemt hij Queneau, 'vrolijk als Rabelais maar tegelijk droog en verlegen, herinnerend aan Laurence Sterne en Stan Laurel'.

Ik hoor Kousbroeks stem, geestig en een beetje deftig, met een rest Indië in al z'n zinnen. Soms klinkt er een zekere verongelijktheid in door, alsof hem iets toekomt wat hij niet heeft gekregen.

Wat gaat het snel, lijn 16 sjeest door de De Lairessestraat, vooral dat 'de' voor De niet vergeten. Woorden betekenen voor iedereen iets anders, als kind vermoedde hij dat al. Soms is het alsof die gedachte anders gekleed steeds weer opduikt, als in het stuk 'Perspectief' uit *Restjes*, meteen is het raak, al in het begin.

Hij beschrijft een willekeurige landschap: *een klein huis aan een rivier; een zwaluw gaat er langs dak en raam; bij de vlier nestelt een roodborstje* enz. – hij ziet het gedetailleerd voor zich. Dan zegt hij ineens: het perspectief is weg, 'een beschrijving in woorden is als een schilderij zonder perspectief'.

De huizen aan weerszijden van de tram, de haltes, de zijstraten, ik kom er op papier net voorbij en nu schiet de diepte eruit, de hele straat wordt plat.

Kousbroek neemt vaak dit soort proeven, om een beetje pesterig het leven van alledag lam te leggen. Misschien ontkom ik aan zijn gedachte-experimenten als ik het papier verlaat en vlug bij de volgende halte uitstap.

Dit is het Valeriusplein, met achter m'n rug de psychiatrische kliniek. Voor me, in al zijn glorie, het Amsterdams Lyceum, met aan de andere zijde, als je doorloopt onder de arcades, een brede brug. Op de vier hoeken beelden van Hildo Krop en aan de overkant het Van Heutsz-monument.

Ik zoek naar een loszittende tegel. Kousbroek zegt in *Bewoond gordijn* dat er een zat in het trottoir voor de linkerarcade, net voor je naar binnen ging. Als je bij zware regenval op de tegel trapte, spoot het water omhoog en zat je met kletsnatte kleren in de klas.

Niet te vinden, intussen zeker gemaakt. Ik neem wat meer afstand, het gebouw uit 1917 is een ontwerp van H.A. Baanders, een architect van de Amsterdamse School, waar Kousbroek erg van hield, 'een architectuur van grote kracht en schoonheid: heel oorspronkelijk, heel Nederlands'. Hier leerde hij Remco Campert kennen, ze begonnen te schrijven in de schoolkrant *Halo*.

Ook in de aula zijn sierstenen gebruikt. Het licht valt door gebrandschilderde ramen van R.N. Roland Holst naar binnen. Op een marmeren wand worden de leerlingen en leraren herdacht die in de oorlog zijn weggevoerd.

In de lokalen en de rectorswoning huisden Duitse soldaten en officieren. Het schoolgebouw was pas een jaar weer open toen Rudy Kousbroek er voor het eerst les kreeg.

Op zuilen en hooggeplaatste panelen staan de jaarlijsten van leerlingen die hier hun eindexamen hebben gedaan. Rudi (nog met een i) Kousbroek deed hbs-b in 1948, hij had veel aanleg voor de exacte vakken en in het kamp had zijn vader hem in de moderne talen onderwezen.

Kijk, daar heb je in 1952 Hans Faverey, Freddie Emmer en Polo de Haas, later dichter, tv-presentator en pianist. Je moet wel goed kijken. Het is halfdonker in dit deel van de aula, duisternis, die volgens Kousbroek in Indië ook dikte had. 'Je kon het voelen zoals je lucht kan voelen wanneer je beweegt, je had dikke en dunne duisternis, vandaar ook dat duisternis trager was dan licht'.

In de gang is het lichter en daar hoog op de muur zie ik de naam van de architect Mels Crouwel, veel later, in 1972, deed hij eindexamen hbs-b.

Ik ben hier eerder geweest. De jonge scholier Crouwel vroeg me ooit of ik wilde helpen bij het beoordelen van opstellen, een wedstrijd op het Amsterdams Lyceum. Het lijkt een onbetekenend feit. Die middag krijgt het plotseling betekenis.

Terug op de halte van het Jan Willem Brouwersplein zie ik dat het hele plein van naam is veranderd. Waarom heb ik dat vanmorgen niet gezien? Het kan niet waar zijn, zo'n belangrijk detail van een boek, dat spat als vuurwerk, daar kom je niet aan. Het Concertgebouwplein, zo heet het nu, voorbijgaand aan de furore die het Jan Willem Brouwersplein allang heeft gemaakt in *Stijloefeningen*.

Vol beloftes in 'Prognose': 'Ge zult hem enige tijd later terugzien op het Jan Willem Brouwersplein, bij het Concertgebouw'; nauwkeurig als in 'Bijzonderheden': '118 minuten later bevond hij zich op 10 meter afstand van het Concertgebouw, ingang Jan Willem Brouwersplein'; beangstigend in 'Spookachtig': 'Een plakkaat van onbekende doch gewis duivelse herkomst droeg het opschrift: "Jan Willem Brouwersplein" '; onverbiddelijk logisch in 'Dus': 'Nou en toen was het dus zo dat ik hem later weer terugzag op het Jan Willem Brouwersplein dus'.

Ik kom erachter dat Jan Willem Brouwers (1831-1893) een rooms-katholieke leraar was die later tot pastoor in Bovenkerk werd benoemd. Z'n naam werd aan de kant geschoven toen het Concertgebouw in 1988 honderd jaar bestond. De Jan Willem Brouwersstraat is er nog wel.

Op de hoek bij het Concertgebouw probeer ik naar het Rijksmuseum te kijken, maar de zichtlijn is door een parkeergebouwtje afgedekt. De koektrommel van het Van Gogh, de Albert Heijn-taartpunt, de witte badkuip van het nieuwe Stedelijk, ontworpen door Mels Crouwel en Jan Benthem, en dan nog het drassige voetbalveld. Bij elkaar is het een stedenbouwkundig fiasco dat z'n weerga niet kent.

Elke oplossing kwam geïsoleerd tot stand. Niemand had er ook maar een idee van hoe een gebouw zich tot de andere dient te verhouden. 'Op bouwkundig gebied heerst bij ons al sinds jaren de grote onmacht, gehuld in een rookgordijn van pretenties en kletspraat', schreef Kousbroek bijna vijfentwintig jaar geleden in *Bewoond gordijn*.

Het Rudy Kousbroekplein, zo moet de ruimte naast de halte van lijn 16, aan de zijkant van de muziektempel, nu maar gaan heten, als een postume aanval op het isolement van elk gebouw. Hij was verzot op polemieken.

In de naam klinkt van alles door, niet alleen een ontbrekend perspectief, je hoort ook de stijloefeningen zelf, compleet met Jan Willem Brouwers, een verhaal dat ontploft tussen al die trampassagiers, wachtend op de halte.

De stukken van Kousbroek over Queneau zouden apart gebundeld moeten worden. Het zijn er veel, over boeken en films, het voorwoord in *Stijloefeningen* of neem het stuk van 10 mei 1985 over het metrostation in een Parijse voorstad, dat net naar de Franse schrijver was vernoemd.

Bobigny-Pantin-Raymond Queneau, zo heet het, 'we staan op het perron', schrijft Kousbroek, 'uitgelaten als kinderen in een speeltuin. Een echt metrostation, met

Foto Rudy Kousbroek

echte treinen en echte reizigers die in- en uitstappen – authentieke banlieusards, anoniem en kleurloos, kortom de mensen die men tegenkomt in de romans van Queneau'.

Natuurlijk was er iets met het station, er was altijd wat, iets wat niet klopte, als Kousbroek zich ergens mee bemoeide. Op de plaquette in het metrostation staat 'Raymond Queneau 1903-1970' en dan nog een paar boektitels, 'het laatste jaar is onjuist,' zegt Kousbroek, 'het moet 1976 zijn.'

Je denkt dat er nu een heel verhaal volgt over fatale vergissingen. Het tegendeel gebeurt. Kousbroek hoopt dat de verantwoordelijke ambtenaar de dans ontspringt en dan verbindt hij de fout met het hele werk van Queneau: hij neemt het op voor alles wat kwetsbaar en provinciaals is.

In het voorstadje Bobigny vindt hij ook nog de rue Raymond Queneau, recent, zo te zien, net als het station, alleen is de oude straatnaam nog leesbaar, rue Hyppolyte...

Ik loop terug naar het Sarphatipark. Hij woonde ruim vier jaar in Amsterdam en daarna vertrok hij ineens met de nachttrein naar Parijs. In een van de laatste stukken die hij over zijn ouderlijk huis schreef, speelt Lucebert een grote rol.

In januari 1951, Rudy is even terug uit Parijs, komt hij erachter dat je in een benedenhuis aan het Sarphatipark geluidsopnamen kan laten maken. Een zeldzaamheid in die dagen, schrijft hij in *oh oor o hoor*, bij een aantal cd's waarop Lucebert z'n gedichten leest, verschenen in 1997.

Hij was onder de indruk geraakt van Lucebert, vooral van de diepe ernst waarmee hij zijn gedichten voordroeg, 'een worsteling met het onzegbare, met de verborgen mythische inhoud van het leven', een voor Kousbroek ongewoon duistere uitspraak.

Zo werd er van Luceberts stem een 78 toerenplaat gemaakt, in het bijzijn van Remco Campert, Ethel Portnoy en Kousbroek zelf. Ruim een jaar later gebeurde dat nog een keer, nu in het huis van Kousbroeks ouders.

Speciaal voor Lucebert had hij dit keer een bandrecorder meegesleept uit Parijs, een loodzware machine, 'ik zie hem zitten', schrijft Kousbroek, 'in de erker van het huis aan het Sarphatipark, onveranderd, 28 jaar oud, in licht uit december 1952'.

Twee keer gebruikte Kousbroek een regel van Lucebert als titel voor een boek, *Een kuil om snikkend in te vallen* (1971) en *Een zuivere schim in een vervuilde schepping* (1988).

Vanuit het Sarphatipark kijk ik naar de erker van het huis. Zijn eigen Nederlands ontstond op Sumatra, daarna in Amsterdam, later ontwikkelde hij het in Parijs. Het is een klankrijk, beetje ouderwets Nederlands, dat nergens meer bestaat.

Er moest altijd wat te ginnegappen zijn, dat klonk er ook in door, zoals in een stuk over eten, dat volgens hem eens was uitgevonden, ongeveer zoals je een nieuw priemgetal ontdekt.

Wanneer las ik Kousbroeks naam voor het eerst? Misschien in *nieuwe griffels schone leien* (1954), een bloemlezing met gedichten van de Vijftigers, erg populair op de middelbare school. Hij wordt wel tot hen gerekend, had in Parijs al twee dichtbundels geschreven, maar zijn naam komt niet in de griffels voor.

Dan moet het zijn geweest in de *Schrijversalmanak* uit 1956 met een beschouwing over de Kodhd, een van een andere planeet afkomstig fabeldier. In die almanak wordt ook zijn roman *The Enemy* aangekondigd. Nooit meer iets van vernomen.

In *Hotel Atonaal*, een documentaire van Hans Keller

uit 1993 over de Vijftigers, zit hij er wat ongemakkelijk bij. Tegen Lien Heyting zei hij dat hij zich bij hen voelde 'als Willem Kloos tussen de surrealisten'. De vrije associaties van de Vijftigers, dat was zijn stijl ook niet.

Z'n uitgestelde oeuvre kreeg een begin in het midden van de jaren zestig, met z'n beschouwingen in *Vrij Nederland* en in toen nog het *Algemeen Handelsblad*. Hij liep al tegen de veertig.

Wat later schreef hij voor NRC *Handelsblad*, decennialang, om daar in de laatste jaren weer uit het zicht te verdwijnen. Hij schreef z'n fotostukken voor een Haags en Zeeuws dagblad.

Het onderwerp doet er niet toe, misschien zei ik dat ook wel tegen hem, omdat juist het onderwerp, Queneau of Lucebert, je soms het zicht beneemt op zijn ontdekkingen, op wat hij haast in een terzijde zegt over de ruimte, de duisternis, het licht, de taal en andere elementaire voorwaarden van het bestaan.

Dit is in de plaats gekomen van het gedicht en de roman en dan ook nog in een nieuwe vorm, iets tussen beschouwing, (reis)verhaal, documentaire en jeugdherinnering in, dat aan elke stroming ontkomt.

Je kunt er overal iets van gebruiken, waar je ook loopt, met een wandelstok de grootte van een suikerkorrel vaststellen, zei hij. Nauwkeuriger kun je ook op het Rudy Kousbroekplein niet zijn.

In het Hallen Theater

Het Hallen Theater in Amsterdam werd op 30 oktober 1936 geopend, in dezelfde maand als het City Theater aan het Leidseplein. De bioscoop in West is alleen minder bekend geworden. Toch is de gevel net zo modernistisch, tegen en op elkaar gestapelde dozen, zo ziet het gebouw eruit.

Met m'n vrienden heb ik er nog eens een aantal kijkkasten gestolen. We moesten ze van onze ouders terugbrengen.

Misschien iets te eerlijk. Ze lagen in de kelder, oude toestellen zonder filmpjes. Niemand keek ernaar om.

Jaren later liep ik met de architect Cornelis van Eesteren langs de bioscoop, een prominent lid van De Stijl. Als stedenbouwkundige van Amsterdam was hij in de jaren dertig verantwoordelijk voor de uitbreiding van de stad naar het westen.

Ik zei tegen hem dat de donkere buurt geen feest was voor een kind. Hij legde me uit dat hij moest vechten voor iedere vierkante meter zon.

De bioscoop lag schuin tegenover de Markthallen, op de hoek van de Willem de Zwijgerlaan en de Jan van Galenstraat. De operateur van De Hallen, zo werd de bioscoop door iedereen genoemd, hield in schoolschriften de programmering bij. Hij schreef met een kroontjespen en gebruikte zwarte inkt.

De eerste schriften kocht hij bij Heeck's Boekhandel, Bestevaerstraat 49, en ook bij de boekhandel/leesbibliotheek K.A. Mester & Zn. Die had in West twee zaken, aan het Hugo de Grootplein 8 en in de Willem de Zwijgerlaan

73, schuin tegenover het huis waar Henk woonde toen ik met hem op de 1e O.H.S. zat. De drie boekhandels lagen niet ver van het Hallen Theater.

Een week na de opening van de bioscoop werd ik geboren, op 6 november 1936. Vanaf ons huis in de Van Speijkstraat liepen mijn ouders in twaalf minuten over de Admiraal de Ruyterweg en de Geuzenkade naar de nieuwe bioscoop. Mijn broer mocht soms al mee. Hij was toen vijf jaar.

De operateur schrijft dat in de eerste week – 30 oktober t/m 5 november '36 – de volgende films worden gedraaid. De toevoegingen tussen haakjes zijn van mij.

Fox (waarschijnlijk nieuws)

Vogeleiland Laysan (Mickey Mouse, 1936)

Lastige wonderkracht (niet terug kunnen vinden)

I Wanna Be a Lifeguard (Popeye in het zwembad, met Olive Oyl en z'n eeuwige vijand Bluto, een tekenfilm van Max Fleischer, 1936)

Audioscopie (muziek, maar wat?)

De kleinste rebel (Shirley Temple bezoekt president Lincoln, 1935)

Onder 2 vlaggen (avonturen in het vreemdelingenlegioen, 1936, met Claudette Colbert en Ronald Colman)

Een beetje veel is het wel. Misschien is uit de lijst op de linkerbladzijde nog geen keuze gemaakt en moet de operateur in het schrift z'n draai nog vinden. Het werd *The Littlest Rebel* als hoofdfilm, met Mickey en Popeye in het voorprogramma.

De feestelijke opening eist de operateur helemaal op, al komt hij bij een paar films met sombere begrippen als '*wrijvings-kabel aan één kant*' en '*verregend*'. De technische termen over de conditie staan op de rechterbladzijde, zodat je meteen kunt zien wat er met een film aan de hand is.

In de tweede week – 6 t/m 12 november 1936 – draait *Babes in Toyland* met Laurel & Hardy, een sprookjesfilm over het meisje Bo Peep en de boze tovenaar Silas Barnaby. Dit keer schrijft de operateur alleen maar: *(terug naar kantoor)*. Misschien was de film nog helemaal gaaf.

In het nieuwe jaar wordt hij steeds nauwkeuriger.

Top Hat, draait twee weken, van 19 februari tot en met 4 maart 1937. Ik zoek de film op, het is een luchtig verhaal over een persoonsverwisseling, met de songs 'Isn't This a Lovely Day' en 'Cheek to Cheek',

Heaven, I'm in
heaven and my heart
beats so that I can
hardly speak...

de geluidsfilm bestond nog maar acht jaar.

Dit is het technische rapport: *Vele doorlopende kabeltjes over beeld en band. Ingescheurd aan beide kanten. Verregend. Ingeknipt.* Niet zo'n beste kopie, al werd de film met Fred Astaire en Ginger Rogers maar twee jaar eerder, in 1935, opgenomen.

In de tweede week van *Top Hat* werd ook het *Fox News Nr. 7* gedraaid. Over de inhoud zwijgt de operateur, dat gaat hem niet aan. Hij heeft het wel over de conditie van het nieuws: *Wrijving langs beide kanten. Lichte kabeltjes. Over beeld en band. Licht olie.*

Een paar weken later, van 26 maart tot 1 april 1937, volgt *Greedy Humpty Dumpty*, een tekenfilm in kleur, weer van Max Fleischer, die zich afspeelt in Nursery Rhyme Land. Dit is het rapport: *lopende kabeltjes over beeld en band. Eindes verregend, één kant ingescheurd. Licht ingetikt en ingehaakt.*

De operateur schrijft in een enigszins puntig handschrift. Zorgvuldig, nooit een vlek. Het schoolschrift van Mester & Zn. maakt in '38 plaats voor een schrift met een oranje harde kaft, dat overal kan zijn gekocht. De naam van de (kantoor)boekhandel staat niet op het etiket.

Uit 1938 noem ik *Honderd man en een meisje*, van 9 tot en met 23 september. Deze vrolijke musical, met Deanna Durbin, Adolphe Menjou en Leopold Stokowski, treft in het technische rapport wel een heel bitter lot: *Wrijving langs beide kanten. Verregend. Ingetikt. Ingescheurd. Wrijvingskabeltjes over band langs perforatie. Over beeld langs band en over beeld langs perforatie. Doorlopende kabels en kabeltjes over beeld en band.*

Twee maanden later, van 4 tot en met 17 november 1938, draait de operateur *Sneeuwwitje en de zeven dwergen*, de met liefst acht Oscars bekroonde tekenfilm van Walt Disney. De operateur is heel tevreden over de kopie, één jaar oud: *lichte wrijving langs beide kanten*, meer niet.

De Hallen is in 1939 een echte volksbioscoop geworden. Daar heb je *You Can't Take It with You* van Frank Capra uit 1938, met Oscars voor de beste film en de beste regie. James Stewart en Jean Arthur spelen in deze komedie. Het technische rapport van 28 juli 1939 is niet opgewekt: *Olie. Wrijving langs beide kanten. Zeer licht ingetikt. Wrijvingskabeltjes over band langs perforatie en over beeld langs perforatie. Kabeltjes en krasjes over beeld en band.*

In de laatste week van augustus 1939 stopt de operateur ermee. Dat zie je aan z'n ontbrekende handschrift. Ziek, een andere baan? Een collega neemt het van hem over. Ik blader verder naar het begin van 1940. Wat draait De Hallen in mei?

It's in the Air (1938), alweer in een ander handschrift, met George Formby, van 3 tot en met 23 mei 1940, je hoort 't hem zingen, 'a funny feeling everywhere', maar wel *beregend en bekabeld. Wrijvingskabels op band en (sterker) op beeld. Perforatie licht ingetikt.*

Van 7 tot en met 13 juni 1940 vreemd genoeg toch nog een Amerikaanse film, *Goodbye, Mr. Chips* uit 1939, met Greer Garson en Paul Henreid, die drie jaar later in *Casablanca* naast Bogart een verzetsheld op de vlucht speelt. Het rapport over *Goodbye, Mr. Chips*: *perforatie aangestipt, wrijving kabeltjes op band en beeld. Licht beschadigd.*

Nadat achtereenvolgens drie collega's zijn werk hebben overgenomen, is de eerste operateur op 21 juni 1940 terug op zijn post en dan begrijp ik zijn tijdelijke afwezigheid. Hij werd in september 1939 gemobiliseerd, heeft geoefend en gevochten, om negen maanden later weer in De Hallen te gaan werken.

Daar heb je zijn onveranderde handschrift, *Fra Diavolo*, 19 tot en met 25 juli 1940, nog steeds Amerikaans, met Laurel & Hardy als rovers nota bene.

Dit is het technische rapport: *Wrijvingskabels over band en langs perforatie, over beeld en langs band. Verregend, ingeknipt, gedeeltes ferm, licht olie, licht ingetikt. Vele doorlopende kabeltjes en krasjes over beeld en band, soms kabels, enige slechte lassen.* Wat een schade, dit moet een oude kopie zijn, de film werd in 1933 gemaakt.

Het schrift met de oranje kaft gebruikt de operateur niet meer. Hij werkt nu in een soort kasboek op folioformaat. Vlug doorbladeren, het Engels verdwijnt, ik weet wat ik zoek. Veel Nederlandse titels, waaronder de taal van de bezetter schuilgaat. Misschien is De Hallen de dans ontsprongen, dat denk ik, zo'n eenvoudige buurtbioscoop.

Dan staat het er, 23 tot en met 29 januari 1942, *De eeuwige jood*, een documentaire uit 1940 van Fritz Hippler, waarin de Joden met ratten worden vergeleken. Rapport, in hetzelfde puntige handschrift van *Top Hat* en *Fra Diavolo*: *Wrijvingskabels langs beide kanten, af en toe ingeknipt en olie. Ingetikt, slechte lassen, eindstrook 1e acte ontbreekt.*

Vele gaten in einde der acten. Vele doorlopende kabeltjes en krasjes over beeld en band.

Waffen ss, een documentaire denk ik, 13 tot en met 19 februari 1942. Het rapport klinkt steeds onheilspellender: *Wrijving langs beide kanten. Wrijvingskabeltjes over band langs perforatie en over beeld langs perforatie. Soms kabels. Licht ingetikt. Doorlopende kabeltjes en krasjes over beeld en band.*

Heisses Blut, een film uit 1936, met Marika Rökk, van 7 tot en met 13 augustus 1942. Al jaren zeer populair, vandaar dit rapport: *Verregend, eindes zeer sterk. Sterk ingetikt, ingeknipt, ingescheurd en doorgescheurd tot over band. Zeer korte begin- en eindstroken. Slechte lassen. Wrijvingskabels over band en langs perforatie. Over beeld langs perforatie. Ferme krassen over beeld langs band. Vele doorlopende kabels en kabeltjes over beeld.*

Ik blader verder, daar heb je de *Winterhulp*, 17 tot en met 21 september 1943. Hagelnieuw, nauwelijks schade: *lichte kabeltjes over beeld en band.*

En dan van 31 december 1943 tot en met 30 juni '44 *Quax de brokkenpiloot*, met Heinz Rühmann, in 1941 gemaakt. Door de jaren heen een groot succes. Mijn broer heeft het er nog over.

Bijna kapotgedraaid, 's mans hang naar precisie bereikt hier een hoogtepunt, als gold het een klankgedicht: *Wrijving langs beide kanten. Wrijvingskabeltjes soms kabels over beeld langs band, over band en langs perforatie. Sterk ingetikt en ingehaakt, af en toe ingeknipt. Begin 1e acte ongeveer 40 meter perforatie uitgelopen over beeld. Verregend, eindes zeer sterk, en vele gaten en krassen in beeld. Af en toe ferme krassen en kabels over beeld. Verder vele doorlopende kabeltjes en krasjes over beeld en band.*

Van 15 tot en met 21 september 1944 worden de laatste films in De Hallen gedraaid, *Nederlands nieuws*, *Een lied van de aarde* (Gustav Mahler?) en *Kleren maken de man* uit 1940, met Heinz Rühmann als kleermaker, naar het verhaal van Gottfried Keller. Alle Amsterdamse bioscopen gaan dicht.

Negen maanden later, op 16 juni 1945, gaat De Hallen weer open, met *The Gold Rush* uit 1925, zie het kasboek van de operateur. Hij schreef gewoon verder, *nagezien door 't handboek*, dat staat er een beetje raadselachtig.

Door het bevrijdingsfeest was hij er met z'n hoofd nog niet bij of er ontbrak dit keer echt zo goed als niets aan de film, dat kan ook. Chaplin had het verhaal waarin hij onder barre omstandigheden een schoen opeet in 1942 opnieuw gemonteerd. Zo'n verse kopie was misschien net uit Amerika gekomen.

Helemaal terug, op z'n oude sterkte mag je wel zeggen, is de operateur bij Joe Brown als dorpsdetective, 8 tot en met 11 oktober 1945. Rapport: *Verregend. Ferme kabels midden over beeld, olie soms ferm, ingetikt, ingescheurd, af en toe ingeknipt. Korte begin- en eindstroken, enkele begin- en eindstroken ontbreken. Ferme doorlopende kabeltjes over beeld en band. Enige slechte lassen. Vele gaten en krassen terug.*

Hij had nu een kleine tien jaar, op en af, in De Hallen gewerkt. In de week van 26 oktober tot en met 1 november 1945 was *Vooruit met de geit* aan de beurt, de eerste film van George Formby die ik zag. De Britse komiek met z'n ukelele en brede tanden had in mei 1940, bij het uitbreken van de oorlog, ook al in De Hallen gespeeld.

De Engelse naam van de film staat er niet bij. Wel het rapport: *Wrijving langs beide kanten. Kabel over band langs perforatie en kabel over beeld langs perforatie. Ingetikt, licht verregend. Vele doorlopende kabeltjes en krasjes over beeld en band.*

Formby was nog steeds hoogst populair. Van 30 november tot en met 5 december 1945 draaide van hem *Kouwe drukte* in De Hallen. Ik herinner me de reclameplaatjes van Cloeck & Moedigh of ATU. Als het licht doofde, net voor de film begon, juichte het hele publiek.

Kouwe drukte was er slechter aan toe dan *Vooruit met de geit*, misschien was deze kopie in Engeland langer gedraaid. Dit is het rapport: *Verregend, eindes sterk. Film zeer droog. Ferme wrijvingskabels over band en langs perforatie over beeld en langs band over beeld langs perforatie. Ingetikt, licht ingehaakt, af en toe ingeknipt. Kabels over beeld. Enige slechte lassen. Slecht begin en eindstroken zonder titel of aanduiding. In einde der acten krassen in beeld. Vele doorlopende kabeltjes en krassen in beeld.*

En ten slotte de reprise van *Honderd man en een meisje*, met Deanna Durbin, ze zong zo mooi, in de week van 21 tot en met 27 december 1945:

the weather bureau
in my heart
is telling:
it's raining
sunbeams...

Misschien mag het rapport van de operateur nu ook voluit de vorm van een gedicht hebben. Hij heeft er lang genoeg aan gewerkt.

Wrijving langs beide kanten,
verregend, eindes zeer sterk.

Ingetikt, ingescheurd, af en
toe ingeknipt, film zeer

droog en ingekort.

Het kon Deanna Durbin geen kwaad meer doen. Ik werd verliefd op haar en voelde me bevrijd, al wist ik toen nog niet dat de hele Tweede Wereldoorlog zich ook in De Hallen had afgespeeld.

Terug naar mijn oude buurt, ik ben er jaren niet meer geweest. Van Heeck's Boekhandel in de Bestevaerstraat 49 is er niet meer. Ik kijk langs de vitrage de vroegere winkel in. In de verte ligt een onbestemd ding op de vloer, meer niet.

In de boekhandel/leesbibliotheek van K.A. Mester & Zn. aan de Willem de Zwijgerlaan 73 zit een naschoolse opvang. Ook De Hallen is er niet meer. Op de plaats van de vroegere bioscoop staat een roodbruin flatgebouw voor bedrijven en particulieren. Op de begane grond, de plaats van de hal en de kassa, is een Fitness Centre met naar niets bewegende mensen, op een lopende band of op een fiets zonder stuur.

In de Markthallen, daar schuin tegenover, wordt aan de groothandel nog altijd groente en fruit geleverd. Willem van Toorn heeft in z'n roman *De rivier* beschreven hoe het lijk van een Duitser in een schuit werd gedumpt met daarbovenop een lading van ons gestolen appelen, richting Germany.

Rest het Hugo de Grootplein 8, een andere zaak van Mester waar de operateur z'n schriften kocht. Daar zit het oosterse restaurant Orontes. Toch eens gaan eten, dit is een filiaal van de Orontes op de kop van de Albert Cuyp. Het moet wel goed zijn. Johannes van Dam heeft er in de vroegere verzetskrant *Het Parool* lovend over geschreven.

Nu ik nog

In de trein naar Brussel aarzel ik erover De Hallen wat eerder te plaatsen of zelfs helemaal in het begin. Ik beslis niets en doe het verhaal op dezelfde plaats in de map.

Een van de laatste keren vertelde Henk dat hij van Oliver Sacks in de krant een stuk over hallucinaties las. Sacks beweert dat hij tijdens het lezen van een tekst andere beelden ziet dan die erin worden beschreven.

Dat had Henk ook. Hij las over de hallucinaties van Sacks en tegelijkertijd wist hij dat hij over iets anders hallucineerde; een dubbeldruk à la Magritte, denk aan het achterhoofd van een man met donker haar in de spiegel, die er gewoon in kijkt.

Ik herlees de zinnen, alsof ik kan zien waar ze ziek worden en eventueel sterven, nee, niets. Ik hoor het wel in het late werk van Liszt, gespeeld door Reinbert de Leeuw, op de dag van Henks verbranding. Geen melodie mag meer open en gaaf zijn, elke wending klinkt geschroeid. Een nog net melodische lijn wordt onder je oren aan flarden getrokken en toch helpt Reinbert het mede door hem beschadigde stuk naar z'n eind.

De nacht ervoor sliep ik alleen in Amsterdam. Dat probeerde ik tenminste, want ik kon de slaap niet vatten. Later lukte dat wel even, maar werd ik weer wakker.

Ik dacht aan een paar van z'n gedichten, niet meer dan een regel lang, als 'mijn naam is haas' en 'daar dacht ik ook net aan', gewoon door Henk ondertekend, dan wordt iets algemeens pas echt.

Toen ik hem de plaat van Pee Wee Russell en Henry Red Allen gaf, begon hij over een bezoek aan Wenen. Pee Wee speelde daar en Henk had gehoord dat Lucebert ook in de stad was, een andere minnaar van de klarinettist.

Als ik het goed begreep, was er telefonisch contact, een afspraak, en toch was die niet gelukt. Niet naar Pee Wee, elkaar niet gezien, niet naar Pee Wee... op die onvoltooiden val je in slaap... als je niets meer van plan hoeft te zijn.

Het was een uur of half vier, de radio, dat was de oplossing, zoals altijd wanneer ik niet kan slapen. Op donderdagnacht krijg je dan Astrid de Jong, die helpt vragen van luisteraars te beantwoorden. Niet de geringste, zoals wat is de code die je in moet tikken als je de ondertiteling van een Duitse zender wil. Ik gebruik ze nog steeds, 777 of 150.

Het was vrijdagnacht en op Radio 1 hoorde ik de stem van Henk. Ze hadden iets van hem gevonden, heel attent. Wat hij zei, ’t drong niet eens tot me door.

Nog een stem, die van Gerard, iets lichter dan in m’n herinnering. Moest het me verbeelden, een onbekende voegde er ook nog m’n eigen stem aan toe, net zo licht als die van Gerard en Henk. Dit speelde zich af in m’n hoofd, het was me te veel geworden, over m’n toeren, halfgek van verdriet. Misschien droomde ik al.

Iemand die half slapend de radio iets harder zet, dat komt niet vaak voor, vermoed ik. Toch deed ik juist dat en nu hoorde ik dat er een rolverdeling in onze stemmen zit.

‘Jongens, naar bed,’ zegt Gerard, ‘het heeft lang genoeg geduurd.’

‘Maar we moeten nog van alles buiten zetten,’ zegt Henk.

‘Bij de vuilnis,’ vul ik hem aan.

‘Dat zal vast. Daar hadden jullie dan maar eerder aan moeten denken.’

'En we zouden het ook nog over onze verzameling hebben,' begin ik.

'Postzegels, zilverpapier,' zegt Henk.

'En oude kranten, voor de blinden natuurlijk, ik begrijp het, heel mooi.'

'Als het dan zo mooi is,' zegt Henk, 'waarom trekken we er nu dan niet even wat tijd voor uit?'

'Jullie proberen me om te praten,' zegt vader, 'maar dat zal je niet lukken. Vooruit, naar bed.'

'Het is morgen zomertijd,' zeg ik, 'kijk, hier staat het in de krant.'

'Wat is dat eigenlijk, zomertijd?' vraagt Henk.

'Ah, jullie willen iets weten, dat verandert de zaak,' vader staat op, 'zomertijd, als ik me niet vergis zijn ze daar in de oorlog mee begonnen.'

Volgt een uitleg over een uur erbij, een uur eraf en alle vergissingen van dien. Ze maken me rustig, onze jeugdige stemmen, op dit extra uur. Ik laat me al sluimerend naar de afkondiging leiden.

'Dit was het hoorspel *Zomertijd* uit '69, met J. Bernlef, G. Brands en K. Schippers.' Daarna hoor ik nog net op welke dagen m'n vrienden zijn gestorven en de omroepster voegt er de dag aan toe waarop ik volgende week m'n verjaardag vier.

Nu ik nog, denk ik in de trein, en ik haal een welhaast magische e-mail uit m'n tas. Het zijn maar een paar regels, ik lees ze steeds weer.

Beste Gerard, Heb jij voor mij de naam, het adres en eventueel het e-mailadres van die jazzwinkel waar je Pee Wee Russell hebt gekocht? Ik wil mijn platen- en cd-collectie jazz aan hen aanbieden. Naar omstandigheden gaat alles goed, slaap alleen bij horten en stoten, maar dat doen zoveel dieren. Liefs, Henk

Een duidelijk verzoek, ik kan er Henk alleen geen antwoord meer op geven. M'n ogen dwalen voor de zoveelste keer naar de datering, '29 oktober 2012 19:26', zo kwam de mail uit m'n printer. Henk was juist op die dag verdwenen, al meer dan acht uur, hoe kon hij me dan zoveel later nog een mail sturen.

Ik stap net op tijd uit in Brussel Centraal. Heeft de computer zich vergist? Die sjoemelt niet met data, wat zou het voordeel voor hem zijn. Ontzettend jammer dat ik het Henk niet kan vertellen. Hier had hij van genoten, precisie die onderuit wordt gehaald.

Of anders was ik wel over het Paleis der Schone Kunsten begonnen, eerst nog iets over *Icarus* van Bruegel, Auden en Henk. Een zaal verder hangt een bordje met 'Antonie van Dyck (1599-1641), tijdelijk uit de zaal genomen voor de tentoonstelling *El joven Van Dyck* in het Museo del Prado, Madrid'.

Zo'n tekst over iets wat ontbreekt, tussen de deftige schilderijen, dat is echt iets voor Henk... een heel nummer van *Barbarber* met bordjes over wat waar dan ook niet is te zien, dat kun je ervan maken, zonder illustraties.

De metro naar Sint-Katelijne, die halte is het dichtst bij m'n huis. Op de vismarkt hebben ze een aantal houten huisjes neergezet. Bruin gelakt of bruin met doorzichtige lak, dat kan ook, vlak bij het kanaal. Het heeft iets met de kerst te maken, daar zijn ze hier erg vroeg mee.

Boven het water is een touw gespannen, schuin van de ene naar de andere kant. 't Schommelt nog wat heen en weer. Iemand trekt eraan, nu staat het strak. Een jongeman heeft een lange stok in z'n handen, wentelt ermee... hij schat iets... heen en weer... het evenwicht...

Dan geeft hij de paal aan een vriend of is het z'n broer, hetzelfde donkere halflange haar. Hij neemt 'm niet mee, de stok, kan het zo wel, dat denkt hij, kan het zelf wel.

Hij stapt vanaf een ook al bruin gelakte ton op de draad en maakt niet eens de schutterige en elegante evenwichtsgebaren waarmee iemand overeind blijft. Even later loopt hij boven het kanaal met van die heldere luchtpassen, zonder haast.

Ik ga om de hoek bij De Markten naar binnen, veel mensen aan lange tafels. Waar zal ik gaan zitten? Ik wil hier m'n kansen goed schatten. Gemopper in het café. Daar niet.

Wat is dat een mooie laptop, in de verte, hij glimt je tegemoet. Niet alleen zwart en klein, dat zijn er wel meer. De vorm, met in de hoeken rondingen, doet me denken aan m'n lievelingsschrijfmachien.

Ik ga er schuin tegenover zitten, om haar beter te bekijken. Herinner me de bel aan het eind van een regel, die kondigt iets vrolijks aan waar je extra je best op wilt doen.

'Vindt u haar mooi?' vraagt de vrouw die erop zit te schrijven. Heb haar wel eens bij Passa Porta gezien, nee, in L'Archiduc, toen ik met Anna Luyten en haar dochter zat te praten.

'Ik had vroeger een portable,' zeg ik, 'die zag er net zo uit...'

'...als een laptop...', ze nipt van haar derde espresso. De andere kopjes staan er nog.

'...ja... heel klassiek...'

'Geloof je erin...?' Ze tikt met haar wijsvinger op haar laptop.

'...in wat...?'

'...in de betekenis van woorden...'

'O, dat.'

'...of zijn het zomaar klanken...'

'Het zal wel moeten,' zeg ik vlug, 'anders zaten we hier niet.'

'Kom je er ook een steek verder mee?' Ze kijkt naar iets wat ze net heeft geschreven.

'...hoe bedoel je?'

'...dat je er echt wat mee kunt,' ze klapt 'm dicht en kijkt me aan.

'...zou het aan een vriend moeten vragen...', en die is er niet meer, wil ik zeggen, ik houd me in.

'Welke vriend?' vraagt ze.

'Mag ik je laptop even?' vraag ik. Ze schuift 'm naar me toe en gaat recht tegenover me zitten.

'Humphrey Bogart,' lacht ze.

'Ach, nee, niet nodig,' ik haal iets uit m'n portefeuille, 'dit schreef hij, heb het overgetikt.'

Ze vouwt het open, leest het vast stil, nee, ze begint het voor te lezen, Vlaams.

De mannelijke Bombyx Mori, *in vele*
opzichten een bescheiden nachtvlinder
openbaart een verborgen principe
(dank ook aan de duitse geleerden).

'Mooi,' zo kijkt ze me aan. Dan gaat ze door, Antwerpen, schat ik, niet Gent.

Op een afstand van 6.8 mijl ruikt hij een vrouwtje.
Haar parfum is $C_{16}H_{30}O$,
een van de hogere samenstellingen van alcohol.

'En dan?' ze kijkt me vragend aan.

'En dan niets.'

'Er ontbreekt toch iets?'

'Nee, dat is het,' zeg ik stellig.

'Maar er komt in een gedicht toch altijd...'

'... aan het eind, ja... hier niet.'

Nu kijkt ze om zich heen, 'het is net of er nadat we hier zitten...'

‘...of er dan niets meer komt...’

‘...nee...’, ze kijkt iets minder vrolijk dan eerst.

‘M’n vriend schrok er zelf ook voor terug. Aangekondigd niets, als je het daarbij laat, komt de hele poëzie te vervallen.’

‘Het is misschien de waarheid,’ zegt ze zacht, ‘ik heet Lynn, met een y en aan het eind 2 x een n.’ Het klinkt een beetje bedroefd, alsof ze het er niet helemaal mee eens is.

Na het gedicht van Henk begin ik haar iets over Gerard te vertellen. ’s Winters gaat hij naar Gran Canaria, een van de Canarische Eilanden. Ik bel hem op en hij staat net in de rij voor een Duits restaurant. Hij zegt dat hij er even uit stapt om beter te kunnen bellen.

‘Hoe is het met je werk?’ vraag ik.

‘Goed,’ zegt hij. ‘Ik zit alleen met iets over een negerin en daar heb ik een aantekenboekje voor nodig.’

‘Dan gebruik je dat toch,’ zeg ik.

‘Vergeten mee te nemen. Het ligt in Waardenburg, bij mij thuis.’

‘Begin dan verderop, laat je die eerste passage nog open.’

‘Heb ik aan gedacht. Het tweede aantekenboekje ligt ook in Waardenburg. Wist je dat je hier op zee ook zwaardvis kan vangen?’

‘Waar ligt dat, Waardenburg?’ vraagt Lynn.

‘Niet ver van Zaltbommel, aan de rivier de Waal.’

‘Misschien sta ik er wel in...’

‘...in zo’n aantekenboekje...?’

‘...in een vergeten boekje,’ lacht ze, ‘kan hij niets over me zeggen.’

Cage en Cunningham

De meeste invloed op Merce Cunningham (1919-2009) had mevrouw Barrett. Hij wilde al jong leren dansen en kon alleen bij haar terecht. Tapdans, iets anders was er niet in Centralia, Washington, aan het begin van de jaren dertig.

Mevrouw Barrett gaf les in haar eigen keuken, omdat ze het getap op de linoleumvloer zo prettig vond klinken. Ze was over de vijftig, kwam uit de vaudeville en kon, zo zei ze, heel mooi dansen op de rug van een rennend paard.

Op een dag gaf mevrouw een uitvoering voor de familie van de leerlingen. Merce was toen twaalf jaar. Aan het eind van de voorstelling kwam de docente zelf op het toneel. Ze droeg een cowboyachtig pak, zwaaide behendig met een paar knotsen en intussen praatte ze met het publiek.

Ze ging op haar handen lopen en praatte gewoon door. Dit maakte zoveel indruk op de jonge Merce dat hij zich zestig jaar later de hele voorstelling nog herinnerde.

In New York begon hij bij de groep van Martha Graham, maar hij dacht nog altijd aan mevrouw Barrett. Wat was ze nauwkeurig en helemaal vrij, zo Amerikaans, net Fred Astaire!

Mevrouw Barrett komt ook voor in *How to Pass, Kick, Fall, and Run* (1965), een stuk dat Cunningham samen met zijn vriend John Cage schreef. Merce deed de dans en John de muziek. Het werd in de Stadsschouwburg te Amsterdam in 1969 uitgevoerd.

Muziek is wat weinig gezegd voor de bijdrage van Cage.

Hij zit aan een tafeltje op het toneel en vertelt elke minuut een verhaaltje. Z'n collega's Gordon Mumma en David Tudor gaan over de andere geluiden, in de orkestbak, al dan niet elektronisch.

De dansers lopen elkaar voorbij of anders rennen en vallen ze wel, zoals Merce het in de titel heeft beloofd. Het verschil met wat er elke dag gewoon op straat gebeurt is niet eens zo groot.

John vertelt dat Merce met mevrouw Barrett en haar dochter Margery aan het tapdansen is in de keuken. Meneer Barrett is het dak aan het repareren. Ergens in huis oefent dochter Lucille op een piano en in een andere kamer speelt Leon, de zoon des huizes, in z'n eentje basketbal.

Meneer Cunningham komt z'n zoon Merce ophalen. Hij hoort zo'n beetje wat zich in het huis afspeelt of anders ziet hij er wel iets van, door een raam. Binnen loopt ook nog een hond, die zit z'n eigen staart achterna. De vader van Merce draait zich om, loopt weer naar z'n auto en rijdt alleen naar huis.

In 1981 geven Merce Cunningham en John Cage een dubbelinterview in het Walker Art Center, Minneapolis, van ruim een halfuur. Ze hadden toen al bijna veertig jaar samengewerkt.

'Ik word nu gauw zeventig,' lacht John, 'kan wel stoppen met optreden, maar ik moet toch iets doen om m'n rug in vorm te houden.'

Merce begint, iets ernstiger, over hun werk toen ze elkaar in de jaren veertig leerden kennen. De dans en de muziek werden onafhankelijk, eindelijk lieten die twee elkaar met rust. Eerst nog een lichte ritmische structuur, als hij het zo mocht zeggen, en daarna verdween ook die.

'No connection between what you hear and what you

see,' zegt John, 'en nu we min of meer op onze laatste benen lopen, wordt het publiek enthousiast. Toen Merce veertig werd, vonden ze hem te oud om nog te dansen. Nu heeft niemand het er meer over.'

De bedwongen lach van Merce, de lach met wijd open mond van John, clownesk zijn ze zeker. 'Geen idee, geen gevoel, niets is hetzelfde bij de dans en de muziek,' zegt Cage, 'de dansers en muzikanten zijn voor de duur van het stuk bij elkaar, op een en dezelfde plaats, en dat is alles.'

Dit keer hebben ze het maar kort over munten en de *I Tjing*, het boek der veranderingen, waarmee ze de duur van een paar passen en een reeks klanken berekenen. Dat geeft aan hun werk iets hoekigs, alsof een onbekende volgorde op het laatst net iets is gewijzigd.

Ik moet denken aan een expositie van de familie Toorop/ Fernhout in het Centraal Museum Utrecht. Een landschap wordt bedolven onder de kleurige stippen of de christelijke symboliek van Jan Toorop. Bij z'n dochter Charley is elk gezicht welhaast architectonisch verbogen en in slagschaduwen gehuld.

Haar zoon Edgar Fernhout wil zich juist uit een voorstelling terugtrekken. De schilder moet zo goed als afwezig zijn, mag het landschap dat hij heeft gezien niet met iets al te persoonlijks afdekken.

Die ontvetting zou Cunningham en Cage hebben aangesproken, geen persoonlijke inbreng, alleen de bewegingen, geluiden en de stiltes van alledag, zonder dat je er zelf in voorkomt.

Je ziet iets en meteen laat je het met rust, ongeveer zoals de vader van Merce weer naar z'n auto liep toen hij de verscheidenheid aan voorvallen in het huis van de Barretts had gezien.

John Cage was een kenner van paddenstoelen. In Italië won hij er een quiz mee en van het geld kocht hij een Steinway-vleugel en een Volkswagen-stationcar – voor de dansgroep van Merce. Hij werkte samen met de beeldende kunstenaars Jasper Johns en Robert Rauschenberg. Die twee maakten de decors bij dansen van Cunningham, op de ijle scheidslijn tussen kunst en leven.

In *Silence* (1962) en *A Year from Monday* (1967) schrijft Cage liever over stilte dan over muziek en haakt hij met sommige stukken naar een onbereikbaar niets. Hij heeft het over een vlinder die droomt dat hij een mens is. Ook de lengte van een zin wordt door de *I Tjing* bepaald.

Cage bezoekt de Catalaanse schilder Joan Miró, 'a night spent in laughter, omelet that fell on the floor', vrienden onder elkaar. Bij de dood van Marcel Duchamp in 1968 maakt hij glasplaten en litho's met halve woorden en fragmenten van encyclopedische plaatjes onder de titel *Not Wanting to Say Anything About Marcel.*

De muziek van Cage wordt niet zo vaak gespeeld, misschien wel omdat ze nauwelijks van min of meer gewone geluiden kan worden losgemaakt. Op een weekend in juni 2012 is het raak in Amsterdam.

Aan het IJ hoor je radio's op verschillende golflengte, met water gevulde zeeschelpen, het geluid van een reuzencactus of verfrommeld papier, verzameld als *Music for Percussionists.*

Je luistert naar operazangers met historische solo's, door elkaar heen gezongen (*Europeria 3 & 4*). In *Roaratorio* hoor je de stemmen van Cage en de Ierse zanger Joe Heaney, vermengd met de geluiden uit *Finnegan's Wake* van James Joyce en dan zijn we er nog niet.

Thirty Pieces for Five Orchestras heeft een onbepaalde duur, met 82 musici, over het theater verspreid. De dichter en componist Micha Hamel houdt een lezing in de geest van Cage en er is ook nog een nieuwe versie van de *Songbooks*, fragmenten muziek en theater, met elkaar gecombineerd.

De stilte was aan het IJ ver te zoeken. Hoe had John Cage (1912-1992) zich met deze overdaad bemoeid? Na *How to Pass, Kick, Fall, and Run* spreken Henk en ik met hem in de bar van Americain over Marcel Duchamp. Hij praat met grote stiltes tussen zijn zinnen en woorden. Die zijn voor hem misschien net zo belangrijk als in z'n muziek.

Dat maakt een gesprek met hem spannend. Je weet niet altijd of en wanneer hij stilvalt. Is dit het eind of moet hij nog een zin of meer afmaken.

Zo kan ik denken: er komt nog iets, en wachten, terwijl hij vast over mij denkt: waarom zegt die man niets... weet hij het soms niet meer?

En als ik midden in een zin val, omdat ik dacht dat dit het einde was, denkt hij vast: hij onderbreekt me, vindt wat ik zeg niet zo interessant.

Katja Reichenfeld bezocht de masterclass die Cage gaf bij het Festival Nieuwe Muziek in Middelburg, zo'n vier jaar voor zijn dood (NRC *Handelsblad* 2-8-1988).

Er klonk geen noot. Na het raadplegen van een toevalstabel nodigde hij enkele deelnemers uit bij hem aan tafel te komen zitten. De leerling zei wat over zichzelf en dan verviel Cage in een diep zwijgen.

'Juist op het moment dat men zich begon af te vragen of hij soms definitief vertrokken was', schrijft Reichenfeld, 'kwam hij weer terug met een verrassende associatie uit zijn eigen gedachtenwereld.'

Hij vertelde dat het er hem alleen nog om gaat een toon zelfstandig te laten klinken, 'ontdaan van onderlinge spanningen en omringd door stilte'.

De volgende dag hoort Reichenfeld in een kerk het pas voltooide *One*, voor piano. Ze zegt dat er allengs een rust neerdaalde, met volle aandacht voor elke afzonderlijke pianoklank.

Een dag later, terug bij de masterclass, werd er weer wat gepraat. Lange stiltes, je hoorde het geschuif op stoelen, gezoem van bandrecorders en het geritsel van plastic tassen.

Meestal bespot Cage en passant z'n zelf gevonden klanken, die hij uit een sterrenkaart haalt of uit de onregelmatigheden in het papier waarop hij z'n noten schrijft. Anders plaatst hij wel een bout tussen de snaren van de 'prepared piano'.

Dan heeft hij iets van de filmkomiek Chico Marx, die pianospeelt alsof hij het instrument voor het eerst aanraakt en helemaal niets van de toetsen begrijpt.

Tegelijkertijd zoekt Cage het sublieme. Zo moet je het wel noemen, als je elk geluid van een klankrijk bestaan in overweging wilt nemen. Met *4'33"* is hij daarin het verst gegaan.

Cage was veertig toen hij het stuk in 1952 schreef en het bestaat uit louter stilte, zover dat tenminste kan. Er zijn altijd onbedoelde klanken.

Hij liep er al lang mee rond en sloeg pas toe op het Black Mountain College in Asheville, North Carolina, waar de geest van het Bauhaus terecht was gekomen. Daar zag hij de witte schilderijen van Robert Rauschenberg. Afhankelijk van de lichtval kwamen de meest uiteenlopende schaduwen op al dat wit.

David Tudor zat achter de piano bij de première in New York, augustus 1952. Geen toets werd in de drie delen van de ruim vierenhalve minuut durende compositie aangeraakt. Wel opende en sloot Tudor de klep bij elk nieuw deel.

Je kunt erachter proberen te komen welke klanken zich in de zaal tijdens de première aandienden. Eenmaal in de schijnwerper zouden ze dan algauw een rokkostuum dragen en verliezen ze hun voornaamste kenmerk, dat wat even of nauwelijks opvalt en ter plekke wordt vergeten.

En toch gebeurt het overal, in een bioscoop, de zes, zeven minuten vlak voor de film. Druk is het er niet, de stappen van de binnenkomende benen, je eigen jas op een stoel. Misschien komt er dan niemand naast je zitten.

Het geruis van andere jassen, het gerol van een flesje, let er maar niet op, eerst nog de reclame, dan begint de film.

Brief uit het verleden

De bootjes zijn gekocht in de speelgoedwinkel om de hoek, bij de mevrouw met zo'n zwarte knot, vlak naast de bioscoop. Ze zijn van hout en passen in elkaar. Als je in de teil zit, probeer je ze eerst als een toren te laten varen. Die valt om. Pas dan krijg je een vloot die je naar alle kanten van het water kan sturen.

Noorwegen met de hoofdstad Oslo. Ik leer heel Europa uit mijn hoofd en nu schrijf ik jou. De dag waar je het over hebt is... even kijken, ik loop naar de waranda... 28 april 1944. Onze broer heeft het drie jaar geleden met een krijtje op een steen geschreven, onder het raam. Ik wilde het met een spons uitvegen, maar toen werd hij woedend.

Eerst het antwoord op een paar korte vragen. Voor de tram loopt een paard. De schatkaart zit achter het schilderij. Het is mooi weer. Bij de dokter vragen ze wie is de laatste. Westphal is de linksbinnen van Blauw Wit.

Als je over de tuinen heen kijkt, zie je in de verte het huis van Louis Noiret, de zanger en pianist. Je vraagt naar zijn naam, die weet je nu. We hebben pas Frans op school, een extra uur, op donderdagmiddag. Noir betekent zwart. Van een buurvrouw hoorde ik dat hij eigenlijk Louis Schwarz heet. Noiret is een schuilnaam, zo heet dat.

Ik dacht eerst dat je brief door onze broer is geschreven. Hij houdt wel van zo'n grap. Je vraagt naar de wereldbol op de kast in mijn klas. Ik heb er een wereldbol in de vorm van een puntenslijper onder gezet. Niemand heeft er iets over gezegd, ook meester Meng niet.

Ik vind het wel vreemd dat je, nu je me eindelijk hebt

gevonden, over dit soort dingen begint. Worden die later zo belangrijk voor je? Je bent veel ouder dan ik en wat heb je dan nog aan bootjes, 28 april 1944, Louis Noiret en de linksbinnen van Blauw Wit?

De kroketjes van Sickman eten we op woensdagmorgen. Je vader neemt ze dinsdagavond laat mee, als hij thuiskomt van een avond waar hij nooit iets over wil zeggen.

Moeder bakt 's morgens de kroketjes. De pan komt op tafel en vader trekt een streep door de jus. Dan moet je uitkijken dat je broer niet stiekem met een stuk brood iets van onze jus steelt.

Ik denk dat je brief is geschreven door oom Jo. Hij tekent de voetballers nog mooier dan Uschi en goochelt bij je bed. Rrrrrsjt, een spel kaarten in de lucht en dan rijgt hij ze vliegensvlug aan zijn floret. Van wie kan je nou anders een brief uit een andere tijd krijgen?

Wat ik de hele dag doe, weet je dat echt niet meer? Ik speel veel met Kees en Robbie van der Werve, in dat benedenhuis aan de overkant. Kees heeft een wielrenspel ontworpen. De renners zijn op karton geplakt. Ze racen op een echte wielrenbaan, die loopt schuin omhoog, net als in het stadion.

De baan staat op tafel, in de kelder. Als je vlak achter een andere renner staat mag je de helft van zijn laatste gooi bij jouw punten optellen. Gooit hij zes, dan zijn er drie punten extra voor jou. Je fietst mee in zijn vaart.

Ik kijk vaak naar hun moeder, als ze niet op me let. Ze loopt zo mooi, net of ze zweeft. Ik zou haar wel aan willen raken, maar ik doe het niet. Wel probeer ik dicht langs haar arm te lopen, als ze in de kelder naar het wielrenspel komt kijken. Soms doet ze mee.

Circus Ombramaan heeft 27 schaduwen. Het weerhuisje is stuk. De film heet *Rhapsody in Blue*. Stokholm is de hoofdstad van Finland en Madrid van Spanje. Niemand heeft het nog over de oorlog. De mensen hebben wel iets anders aan hun hoofd. Er zijn veel oudere buurjongens naar Indië vertrokken. Weet jij wanneer ze terugkomen?

Nu ik zo uitgebreid op je brief inga, mag ik jou ook wel iets vragen. Dan kan ik op school de toekomst voorspellen.

Jij hebt niet goed opgelet in je jeugd. Weet je wel of ik later nog terug moet denken aan wat me deze zomer is overkomen of zal ik dat vergeten?

Vader is heel royaal met huizen en pensions. Je zal de kiekjes van Zandvoort en Bergen aan Zee nog wel hebben.

Dit jaar gingen we in juli naar Texel. Aan het strand zag ik 's avonds het lichten van de zee, net of honderden van die fosforspeldjes over het water waren verspreid. Anders bekijk je zo'n speldje alleen maar onder de dekens, een beer of een paraplu, en die geeft dan heel mooi licht.

Toen kwam er een gezin met wel vier dochters in het pension. De oudste is vijf jaar ouder dan ik. Ik wilde meteen voor altijd bij haar zijn. Was ik maar ouder. Wel loop ik met haar over het strand en dan hebben we het over van alles. Waarover, dat zeg ik niet. Misschien weet je het zelf nog wel. Als ze haar badpak aan moet trekken, verdwijnt ze in een tent. Haar jongste zusje is zo klein. Als ze zich afdroogt, wordt de handdoek niet eens helemaal nat.

Ik ga de schildpad van oma eten geven. Ze is naar Den Helder. Jij vraagt niet eens naar die schildpad. Je bent hem zeker vergeten. Soms moet je hem wel een uur zoeken in de tuin. Als ik hem niet vind, leg ik de slablaadjes maar ergens neer. Hij vindt ze wel.

Om de toverstaf zit nog maar één wit bandje. Patat friet kost 15 cent. Soms ben ik bang en ik weet niet waarom. De slager heet Meester en de bakker Boucher. In de film mag de arme vrouw een wens doen en dan groeit de worst die ze elke dag eet weer aan.

Gek dat je ook nog over de twee spiegels in die etalage

begint. Ze vielen mij vorige week pas op, maar ik ben ook een stuk kleiner dan jij.

Wacht je even? Ik ga voor je kijken, maar ik hoop niet jou te worden met al die vragen. Als ik ouder ben wil ik dat vast niet allemaal weten.

Weer terug. Het zit zo. Als je langs de winkel loopt, zie je je eigen achterhoofd in de verste spiegel. De spiegel achter je weerkaatst dat hoofd. Zo goed?

Ik stuur het meisje dat zich in een tent verkleedt een kaart van Donald Duck. Die doe ik op de bus samen met deze brief aan jou. Goed dat je je adres erbij hebt gedaan. Dan weet ik vast waar ik ooit zal wonen.

De strip in *De Waarheid* heet 'Jochem Jofel'. Als ik koorts heb, wordt de kamer groter. De Van Weerdenburg-opening begint met e3, vlug e5 en dan pas e4, dus je maakt van wit zwart. De atoombom gaat vallen. Er staat een telefooncel aan het eind van de straat.

De brief komt zeker pas veel later aan. Dan maak ik hem zelf open, alsof het een truc van oom Jo is. Dat moet dan maar. Misschien ben ik tegen die tijd het meeste van wat ik je nu vertel zelf vergeten.

Gezichten

De zaal van de Rits voor de workshops is bij mij om de hoek in de Dansaertstraat, in een gekraakte bank. Op een morgen laat ik twee films zien die ik samen met Kees Hin heb gemaakt.

De eerste heet *Roodkapje verteld door 160 Nederlanders* en die zie je ook werkelijk, stuk voor stuk. Een man zegt een regel van het sprookje. Daarna een vrouw of een kind, in dezelfde leunstoel, recht in de camera. Steeds een seconde of zes, niet langer. Het duurt ruim een kwartier.

De andere film gaat over het werk van de fotograaf Merkelbach. Hij had een studio boven op het Hirsch-gebouw aan het Leidseplein. De Amsterdamse middenstand vanaf 1913, de Joodse bourgeoisie, later ook Duitsers, Canadezen. Honderden gezichten, vlak na elkaar, tot 1969.

‘Waarom is die film over Merkelbach helemaal stom?’ vraagt de studente Leen.

‘Dan werkt het beter. Muziek of documentaire teksten kleuren de foto’s te veel in.’

‘Dan kun je er met je eigen verhaal beter bij,’ zegt Thijs, een student met rood haar. Leen is niet overtuigd, het is haar te leeg.

Vlug naar de volte, ik vertel iets over *Een avond in Amsterdam*, dat bestaat uit tien gesprekken met Ben ten Holter. Z’n wandeling van kantoor naar huis, meer niet. Geen detail blijft onbesproken. Wat zit er in z’n zakken, wie groet hij als hij weggaat en neemt hij elke dag dezelfde route?

Bernlef en G. Brands, Waardenburg, 2012. *Foto K. Schippers*

’s Middags komt E. terug uit Amsterdam. Ze heeft de foto’s bij zich. De rolletjes heb ik een paar dagen na de verbranding van Henk naar de man uit Curaçao gebracht.

‘Heb je ze al bekeken?’ vraag ik.

‘Nee, nog niet.’

E. legt de zakjes op tafel. Meteen openmaken? Het is net

of er een verbod op rust, niet meer dat veilige uitstel van 'eerst nog ontwikkelen', als in de Van Baerlestraat.

Daar heb je ze, Gerard – en profil, vlak bij me, en dan Henk iets verderop bij een laag tafeltje, hand voor z'n kin... hij luistert naar Gerard...

Herinner me wat ik dacht, vlak voor de foto, 'nu eens niet naast elkaar'. Een blauwe lucht en een paar wolkenflarden boven het terras van Gerards huis. Daar zijn we 1 september op het laatst naartoe gegaan.

Op m'n voicerecorder hoor je nog steeds: '(*opgewekt*) Met Brands hier... (*feitelijk en charmant*) Er komt een kleine verandering in het adres waar ik jullie zaterdag verwacht. Ik mag namelijk met verlof... weekendverlof dus het wordt de Gasthuisstraat zaterdag om een uur of vier.'

Gerard mocht uit het ziekenhuis, niet omdat hij aan de beterende hand was, maar om thuis te kunnen sterven. Wist hij het zelf?

Bernlef en G. Brands, Waardenburg, 2012. *Foto K. Schippers*

De volgende foto, Henk en Gerard vanuit een iets andere hoek. M'n schaduw over het tafeltje, nu meer drank, bier, whisky... voor Gerard zoete wijn, dat dronk hij nooit. George Brassens, had hij het anders niet over. Nu vond hij het een prachtige zanger.

Henk kijkt iets naar beneden, is bijna aan het eind van z'n filtersigaret.

'Het is net of je bent weggelopen,' zegt E.

'Waar zie je dat aan?'

'Voor de dood. Die stoel tussen hen in is leeg.'

'Hou op.'

Een stuk of tien foto's, kijk, daar zie je me wel, naast een lachende Henk. We luisteren naar G. Brands. In het ziekenhuis had hij het met een zwarte patiënte over hun belevenissen in Ghana. Jaren later was hij er nog 'ns terug geweest en toen had de *chief* gevraagd of Gerard hem op wilde volgen. De man was er nu echt te oud voor om dit deel van het land nog te kunnen besturen, 'het is echt iets voor jou...'

Ik hannes nog wat met de foto's, 'had hun stemmen al... van de radio.'

'En nu hun gezichten.'

E. pakt de zakjes en wil ze opbergen in een Belgische la. De weg van alle foto's, een la als graf.

'Laat er een paar hier liggen.'

'Ik begrijp je,' E. haalt er een paar uit een zakje, heel vlug, zonder echt te kiezen.

Brussel heeft buurten van een elementaire sjiek, spartaans en verleidelijk. Elsene is zo'n buurt. Neem de bus, dan zie je het meest, 't is alsof je op een paard zit. Een restaurant ga je daar niet zo gauw in, net iets te klein, en toch zou je je wel eens kunnen vergissen.

De stoemp heeft er onvermoede geheimen, dat merken we deze middag. Postelein, waar kom je die groente nog tegen, gemengd met aardappelpuree en dan ook nog het juiste spek, alsof je bij het grofste vlees toch een schitterende keus kunt maken.

In de krant staat een schilderij van Jules Schmalzigaug, de Belgische futurist. Vrolijk en gewaagd, hij komt uit de verzameling van Caroline en Maurice Verbaet, zoiets als De Heus-Zomer in Nederland.

Schmalzigaug en de rest, Oscar Jespers, Spilliaert, Brusselmans in Elsene, of anders wel in Ixelles, dat mag je ook zeggen. Waar is het museum, la musée?

Een hellende straat moeten we in en ook op en dan ergens naar links. We kunnen ook buiten blijven lopen. Er is hier genoeg te zien. En toch zit in m'n hart een verlangen naar iets ingedikts, dat niet is verzonnen door je omgeving.

'Vond je het erg dat ik de foto's in een la deed?'

'Wat moet je er anders mee doen.'

Je loopt zonder hulp de goede kant op. Dit keer geen voorbijganger die het ook niet weet, zomaar, alsof je door de lucht wordt geleid. Een hoogst modern museum, de grootste zaal heeft witte balkons en een parketvloer.

Boven zie je een portret van een meisje, een jaar of elf is ze. Wat kijkt ze ernstig. Fernand Khnopff heeft haar jurk op de schouders iets te grote strikken gegeven, net of ze stiekem iets van haar moeder heeft aangetrokken. Alleen de schilder weet dat, je ziet het aan haar ogen.

Leon Spilliaert met de dijk in Oostende, dat is iets voor Henk. Hij houdt van deze badplaats en z'n gedempte kleuren. Een jaar geleden sprak hij hier nog met Anna Luyten over de herinnering.

'Een lijn ontsnapt, wat wil hij worden?' vraagt E. zich af. Gustave Van de Woestijne zet koffie, de geometrische figuren van Victor Servranckx hebben iets van het rijtje medeklinkers aan het eind van z'n naam.

Bij de vaste collectie staan we voor een rivier die zonder

de groen-blauw-gele stippen van Théo van Rysselberghe niet kan bestaan. Delvaux, Magritte, Henk vindt de verf van de laatste te glad. Ik zeg dat z'n werk eerder bij de tekenfilm hoort, 'als je het zo ziet,' zei Henk.

Kijk, daar volgt Magritte een donkere haas of is het een schaduw van iets anders...

In een andere zaal zie je het atelier van Anthonie Palamedes (1601-1673). Op dit doek is hij zelf aan het werk, hij schildert een pop, die is nog lang niet af.

Een in Delft geboren portretschilder uit de Gouden Eeuw, 'hij weet te goed wat hij doet,' zegt Henk.

'En toch heeft het iets geestigs.'

'Het is me te bedacht.'

'Hij neemt zichzelf niet zo ernstig.'

'Gelukkig niet.'

Waar houdt Henk zelf van? Van alles wat in *Barbarber* heeft gestaan, vond hij dit het mooist, van een anonieme Canadees.

Wat een prachtige vogel is de kikker –
Als hij staat zit hij bijna;
Als hij springt vliegt hij bijna.
Hij heeft nauwelijks enig verstand;
Hij heeft nauwelijks een staart ook.
Als hij zit, zit hij op wat hij niet heeft
bijna.

Altijd is er iets verdwenen, hij noemde een bundel *Ben even weg*, heel even maar – en dan is hij er weer, hij zit naast me.

We rijden met z'n drieën door een sjiek dorp, niet ver van Brussel en zoeken de villa van een voordrachtskunstenaar. Bij hem treden we vanmiddag op, Henk, Gerard en ik.

De lanen zijn stuk voor stuk naar een dier vernoemd. Ze lijken sterk op elkaar. Na een bocht merk je niet dat je op een andere weg terecht bent gekomen.

Henk is van plan iets te doen met reclamefoto's. Hij zal er een verhaal bij vertellen, tijdens de projectie. Meer wil hij er nog niet over kwijt.

Jaren eerder maakte hij aan één stuk door collages, die hij op een dag heeft vernietigd. Marilyn Monroe boven Broadway, zwevend in de regen, een neus steekt uit een bord tomatensoep en op een stuk zilverpapier tekende hij een vos. Die laatste twee zijn er nog.

'Laten we het daar eens proberen,' zegt Henk, 'het nummer klopt.'

Het huis is een modernistische kolos, uit de jaren dertig, schat ik. Net schoenendozen, slordig op elkaar gestapeld, zover je dat onder de bomen en het klimop kunt zien.

We sloffen door een met bladeren bezaaide oprijlaan. Gerard zit nog achter het stuur. Hij vertrouwt het adres niet, 'kijken jullie maar,' en rolt een Javaanse jongen.

'Herbert... eindelijk,' zegt de vrouw die op Henks bellen heeft opengedaan.

Hij draait zich half naar mij om met een gezicht van 'als zij nou denkt dat ik zo heet...' en loopt naar binnen. De vrouw duwt de deur vlug achter hem dicht. Wat maakt het uit waar je heen gaat en als wie, zo keek hij, het niets aangenaam gevuld met weinig.

Ik loop door de bladeren terug naar de auto. De weg ontbreekt bijna, als in een gedicht van Henk.

Vroeger – te oordelen naar
oude schilderijen tenminste – liep men
na het ontbijt regelrecht
naar een eenvoudige eenzaamheid.

U kent ze wel... hoe ging het ook weer...
...nee... o ja...

U kent ze wel die vage blauwe bergen
waarnaar geen wegen voeren
maar die toch bereikbaar lijken.

Een shaggie in het gras, het vuur licht op. Uittrappen? Gerard is in slaap gevallen, doet soms tot 's avonds laat de productie van het tv-journaal. Hij werkt daar met Wibo van de Linde, een jeugdige kracht met bizarre ideeën.

'We vergaderden 's morgens vroeg om een uur of kwart over negen,' zegt Van de Linde. 'Meestal had ik van tevoren vlug al wat afspraken met Gerard gemaakt. Botersmokkelaars bij Achelse Kluis of iets met Robert Jasper Grootveld. Gerard regelde de camera, het lab en boog zich over de verkeersproblemen. Hij stond aan m'n kant, bij elk gek plan, ook toen ik prins Claus bij opnames van de Vierdaagse wandelaar 204 noemde.'

Ik ga naast Gerard in de auto zitten. Hij schildert af en toe een plattegrond van een stad. Alkmaar, Roermond, niet te veel, uit vrees dat hij iemand aan de deur krijgt die er met hem over wil praten.

Hij is van plan zo'n kaart ook in een leeg sigarenkistje te schilderen. Dan lees je op het deksel *Sumatra Miskleur Tydelijk* en achterop staat Neerijnen, de naam van het dorp, gesigneerd en wel.

Op een keer deed ik dit kistje voorzichtig open. Er was nog niets op de bodem afgebeeld.

'Wat denk jij ervan?' zegt Gerard.

'Wat.'

'Waar is Henk?'

De uitsnede

De fluit spelende jongen is gekleed in een zwart jak met een rode broek. Het verschil is zo groot dat het lijkt of het de schilder alleen gaat om de kleur.

Een groep met een gids trekt naar de fluitspeler op. Voorlopig moet ik tevreden zijn met de glimpen die ik van de schilderijen opvang. Ik worstel me naar *Le déjeuner sur l'herbe*, een naakte vrouw ligt op een open plek in het bos naast twee fraai geklede heren.

Dan *Olympia*, een naakt op een bed, met achter haar een negerin, de zwarte kat heeft er geen belangstelling voor. Het is zo druk dat ik voor het complete beeld van de twee doeken op m'n herinnering af moet gaan.

Een man en een vrouw zijn door koptelefoons met een recorder verbonden. Ze wonen niet in hetzelfde huis, dragen alle twee een catalogus in een doorschijnend plastic tasje.

De draad van de man komt strak te staan, maar schiet niet los. Voor hij is uitgekeken wordt hij door z'n vrouw meegetrokken naar een volgend doek van Édouard Manet (1832-1883). Zij draagt de recorder.

De bezoekers wijken uiteen, mij wordt een blik gegund op *La lecture*. Vlug kijken, anders raakt het door mensen bedekt.

Een vrouw in een witte jurk zit op een bank. Bij de mouwen schemert haar huid door de stof heen. De jurk en de bank zijn met vluchtige vegen geschilderd, niet te lang aan werken, heeft de schilder gedacht.

Rechts leest een man een boek. Met zijn linkerhand

leunt hij op de bank. Z'n lichaam valt buiten de voorstelling. Je ziet alleen z'n hoofd en handen. Het lijkt wel of hij het boek net van achter de bank heeft opgeraapt.

Op een ander schilderij kijkt een meisje door het hek van een station naar de stoomwolk van een locomotief. Je kunt haar gezicht niet zien, maar ze zal zich over enkele seconden wel omdraaien.

Daar zijn ze weer, de deinende ruggen en hoofden, die hele batterij van jasjes, T-shirts, spijkerbroeken en japonnen, een overvloed aan beelden die niet in de goede kaders zitten. Een centrum is er niet.

Wordt het dan nooit meer rustig in het Grand Palais? Ik krijg een inval: het lunchuur. In restaurants is er dan nooit een stoel te krijgen.

De volgende dag ben ik om half een in het museum en werkelijk, een groot aantal Fransen schat de lunch hoger dan Manet. Stil is het er nog niet, al ontbreken de groepen met een gids. Ik zie maar één recorder-duo. Een moeder leidt haar zoon van een jaar of veertien langs de schilderijen.

Hoeveel eerbied Manet ook voor de oude meesters had, toch zit er in zijn eerste werk al een lichte weerzin tegen een al te keurige uitsnede. In 1862 durft hij een geelwitte jurk de helft van een schilderij te laten beslaan, alsof die overmaat er meer toe doet dan de ogen van het model.

De jurk wordt gedragen door de maîtresse van de dichter Baudelaire. Hij schreef dat het wonderbaarlijke ons omgeeft zonder dat we het zien, elk ogenblik, en dat het erom gaat het vluchtige bestendig te maken.

En bateau uit 1874, een man aan het roer, achter in een platte boot. Voor hem zit een vrouw met haar gezicht en profil. Wervelend blauw en groen geeft het water kracht en snelheid, de boot zal binnen enkele seconden het doek uit varen.

Édouard Manet, *En bateau*, 1874 (Metropolitan Museum of Art, New York, USA / De Agostini Picture Library / The Bridgeman Art Library)

Vanuit de hoogte zie ik niet meer dan een stuk van het zeil, de achtersteven en de zeilers, net een mislukt kiekje, zo'n snel ogenblik dat verloren gaat voor het kan worden bekeken.

Manet kijkt op het laatst naar alles wat ons omringt. Met brutale uitsnedes en vreemde standpunten raakt hij ieders bezit.

Op een doek uit 1876-1877 staat een vrouw in een kamer. Je ziet haar op de rug, haar arm in een draai, verlaat ze de spiegel of keert ze zich er juist naartoe?

Een jaar later zit ze aan een cafétafeltje. Er staat een glas op, een hand houdt zij onder haar kin. De andere rust op tafel, tussen twee vingers klemt zij een niet-brandende sigaret. Is ze van plan te roken of blijft ze minutenlang zo zitten?

Het vluchtig eigendom dat ons steeds weer omgeeft. *Un bar au Folies-Bergère*, met het in gedachten verzonken barmeisje en de voorlopige stand van champagneflessen, een schaal met sinaasappelen, het glas met de twee bloemen en de wijnflessen op tafel.

Binnen enkele seconden pakt zij een fles, worden de bloemen verzet om meer ruimte te krijgen, dan kan beter aan een bestelling worden voldaan.

Het wordt drukker in het Grand Palais. Lunchtijd is voorbij. Weer zie ik dat nooit gelijke arrangement van zich verplaatsende bezoekers, zwaaiende armen en benen, al dan niet in gezelschap van een levende of mechanische gids.

Hun bewegingen storen mij niet meer. Bij een caféconcert in 1879 zie je in de verte een danseres op het toneel. Een man met een pijp, Manet gunt ons iets van het profiel, de gezichten van de andere toeschouwers blijven verborgen.

Een serveerster houdt twee glazen vast. Ze kijkt niet naar de danseres, ziet iets aan het andere eind van de zaal, geen idee wat, het ontgaat je.

Manet zou oog hebben gehad voor de wegwentelende scènes. Hij wijst ze niet af omdat ze maar op zo weinig kunnen bogen.

Angst

J.M.A. Biesheuvel schreef eens een verhaal voor *de Volkskrant*, dat hij niet opnam in een bundel. Veel later is het verschenen in een bibliofiele uitgave. Die moet ik ergens te zorgvuldig hebben bewaard. Het boekje is nergens meer te vinden. Het hindert me niet echt. De kern van het verhaal is me bijgebleven.

De held zit bij een boekhandel te signeren. Er komt veel publiek en toch breekt het zweet hem uit. Hij weet dat er niets bijzonders aan de hand is en juist dat bezorgt hem de grootste angsten. Hoe kom ik hier weg, dat denkt hij. Maar hij kan nog niet weg en slaat zich met de grootste moeite door de signeersessie heen.

Na afloop loopt hij naar het station. Om het gebouw te bereiken moet hij eerst door een tunnel onder het plein. Vanaf de andere kant lopen een paar mannen hem tegemoet. Ze hebben kettingen bij zich. De dreiging is groot. Juist hier, nu er werkelijk iets gebeurt, wordt de schrijver rustig. Zonder een zweem van angst loopt hij de tunnel uit. Het gevaar heeft hem weer bij zinnen gebracht.

Toen ik aan het verhaal dacht, schoten me twee andere schrijvers te binnen. Het ging me om een paar korte zinnen, die bij de belevenissen van de signerende Biesheuvel horen.

Ik vond de eerste aan het eind van het verhaal 'Onbepaald vertraagd', geschreven door Nicolaas Matsier: 'Ik voel me als een wond waar de pleister vanaf is getrokken'.

De andere zin komt voor op de flap van *Sjibbolet*, het debuut van Hedda Martens. Het is geen letterlijk citaat uit een van haar verhalen, maar een samenvatting van de inhoud, misschien geschreven door Martens zelf. De gevoeligheid van de hoofdpersoon wordt vergeleken met 'de nieuwe huid van een pas genezen wond'.

In 'Onbepaald vertraagd', uit de gelijknamige bundel, probeert een man zijn greep op het allergewoonste niet te verliezen. Als hij in bed ligt, wil hij een redenering opstellen 'die er langs logische weg toe leidt dat ik opsta'.

De heldin van Martens maakt nog wel deel uit van min of meer vertrouwde gebeurtenissen, 'ik voel alleen dat er geen enkele vorm op wil passen, alsof iedere verbinding die ik probeer onophoudelijk gevaar loopt'.

Wat bij Biesheuvel nog een verhaal is, dat heeft zich bij zowel Martens als Matsier voorgoed ontbonden in losse close-ups. Daarin raken de laatste twee schrijvers elkaar. De bevrijdende gang door de tunnel blijft bij hen uit.

Het bakken van een ei, het luisteren naar een grammofoonplaat, het aansteken van een lamp (*Matsier*) of het omslaan van een bladzijde, het uitdoen van een jas, het kijken in een spiegel (*Martens*), de simpelste handelingen moeten veroverd worden, alsof de helden er nooit voldoende les in hebben gekregen. Steeds moeten zij zich vertrouwd maken met de regels van een onbekend spel.

Bij het herlezen van *Onbepaald vertraagd* (1979) en *Sjibbolet* (1982) moest ik denken aan de eenvoud van de angst, zoals je die zelf meemaakt en aan de angst van anderen, die in een onbewaakt ogenblik soms iets zeggen, meestal lachend, over wat hen kwelt. De volgende onderwerpen werden ernstig belicht, ondanks die lach.

Elastiekjes. De man die erover vertelde, bewoog de middelste vingers over de duim van z'n andere hand, heel vlug, om zich van de niet eens aanwezige elastiekjes te ontdoen.

Een harig truitje. Een jongen kon niet zeggen waarom hij het niet wilde dragen. Je zag het aan zijn bewegingen, het mocht niet aan. Op een morgen had hij het, vlak voor hij naar school ging, uit het raam gegooid.

Melk, alleen al de geur. Een bezoeker ziet een vol glas op tafel staan. Hij loopt naar een andere kamer en veinst belangstelling voor een schilderij of een boek.

Het knippen van nagels. Het moet gebeuren en toch wordt het uitgesteld. Een vriendin kan het geluid alleen met watjes in haar oren verdragen.

Neuriën. Als een vriend dat hoort, gaat hij weg, desnoods het huis uit. Wie neuriet, kan nooit de waarheid spreken.

Een theezakje in een gootsteen. Als een andere man dat ziet, begint z'n hart te bonzen van schrik.

En dan de vrouw die geen knoop kan verdragen. Ook aan de kleding van haar kinderen zit geen knoop. Die mag ze niet door haar vingers laten glijden. Kleren worden met klittenband dichtgemaakt.

De angst voor iets gerings blijft bij de proefpersonen nog beperkt. In de twee boeken is ongeveer alles een struikelblok geworden.

In 'Onbepaald vertraagd' denkt de man dat hij vandaag nog van alles kan doen, 'het huis verlaten, een cappuccino drinken, de trein nemen naar Den Helder, omdat het zo heet, of omdat het een eindpunt is, of omdat ik er nooit geweest ben en niets te zoeken heb, naar een middagvoorstelling gaan, zwemmen in een zwembad, een meter boeken verkopen, op de hoek van een straat blijven staan –'

Het komt er niet van: geen handeling voltrekt zich. Ze zijn aan elkaar gelijk geworden. Elegant, dat wel, als in een choreografie. De dingen worden bespeeld tot ze in het niets verdwijnen. Dat is beter dan er een onmogelijke verhouding mee aangaan.

De vrouw in het verhaal 'Evenbeeld' uit *Sjibbolet* staat lang voor een etalage. De daar uitgestalde dingen blijven haar onbekend en bieden nauwelijks enige oriëntatie. De moeilijkheidsgraad van de kleinste details wordt haar te veel.

De troost van het ergens niet hoeven zijn, ontkomen aan het allerbekendste, vlak voordat er ook maar iets gebeurt.

In een beschouwing over ironie noemt de Deen Søren Kierkegaard dat het verleidelijke van ieder begin, 'omdat het onderwerp dan nog vrij is en dat zoekt de ironicus steeds weer'.

Even verder zegt hij dat je met ironie elk verschijnsel onwerkelijk kunt maken, om je onafhankelijkheid te bewaren, van niets hoef je deel uit te maken. Angst zou dan een uit de hand gelopen begin kunnen zijn, dat nooit een vertrouwd vervolg krijgt.

Ik denk aan het hotel in Malakka, waar ik op mijn kamer naast het hoofdkussen een gebruikte pleister vond, met het bloed doorlopen gaas naar boven, van een vorige gast.

Hoe afwijkend zo'n vondst ook mag zijn, hij hoort bij de vertrouwde gruwelen en die kom je bij Martens en Matsier niet tegen. Bij hen zou de verschijning van een ongebruikte pleister, liggend op een tafel, al voldoende zijn voor een redenering om aan hem te wennen (*Matsier*) of voor een poging de pleister te verwijderen uit je bestaan (*Martens*).

It Was So Beautiful

Misschien zijn er net een paar mensen naar binnen gegaan, zonder dat Gerard en ik het in de stilstaande auto merkten. Het kan ook dat na Herbert de deur niet helemaal in het slot is gevallen. We zien een kier licht, duwen de deur open en gaan het huis in.

Achter ons glipt een vrouw mee en dankt ons half-en-half voor het openhouden van de deur. Ze zet haar tas neer en daarin zit iets wat goed is verpakt. 'De tas is zwaarder dan wat erin zit,' zegt Gerard zacht.

De vrouw hangt haar jas op en kijkt of ze iets beters te doen heeft. Iemand uit India heeft een polaroidtoestel op z'n buik, kijkt me schattend aan en loopt me dan toch voorbij. Een man alleen wil niet op de foto.

Gerard en de vrouw met de tas zijn ook doorgelopen, zonder te weten waarnaartoe. Dat zie je aan hun richting veinzende stappen in de zaal, die kant op, de andere kant kan ook en dan blijf je aarzelend staan.

Er zijn tafeltjes en stoelen neergezet, als in een café. In de verte hangt over de hele breedte een gordijn. Het is hier wel groot, er zit vast nog een ruimte achter.

Gerard is al verder en ik loop naar de plek waar hij net heeft gestaan. Niet met opzet, zomaar. De vrouw draait zich naar mij toe, denkt dat Gerard daar nog staat en vraagt: 'Wordt hier niet gefilmd vanmiddag?'

'Wie weet,' ik houd het maar vaag.

'Wat doet u dan hier?' Ze ziet er Portugees uit.

Iets zeggen over de twee verdwenen vrienden die er toch weer zijn? Dat gelooft ze nooit.

Ik betrek het vlug op m'n werk, workshops op de Erasmushogeschool, kortweg de Rits, 'die zit toch in een gekraakte bierfabriek?' vraagt ze.

'Het ging laatst over Buñuel,' zeg ik, dat is vast iets voor haar.

'Welke film dan wel?' Ze is echt nieuwsgierig.

'Een meisje is zoek, van een jaar of acht. De ouders praten op het politiebureau...'

'...diepbedroefd zeker...'

'...dan komt het meisje gewoon binnen... ze gaat er zo'n beetje bij staan...'

'...verveeld... zeg, weet u niet hoe die film heet?' vraagt ze.

'Pardon?'

'U praat gewoon door... dat doen mensen wel vaker als ze iets niet weten.'

'...straks... de vader ziet z'n dochter staan... heel even... hij praat alweer verder met de rechercheur...'

'...het maakt niets meer uit...' zegt ze zacht.

'...nee... de zoektocht is in gang gezet en zo zal het blijven...'

'...het dubbelgangersmotief...'

'Dat nou ook weer niet,' daar zitten Henk en Gerard in de verte, aan de linkerkant, vlak voor het gordijn.

Zonder nog iets te zeggen neem ik tussen de tafeltjes door een zigzagroute naar rechts, kan ik als het meezit vlak achter ze opduiken.

Waarover zal ik beginnen... iets over Ella in het Concertgebouw, daar waren ze bij... vuurrode jurk... (*ben al achter het gordijn*) ...koelte met wit zakdoekje... dept haar voorhoofd ermee... (*licht door kier*) ...laat het vallen... *In My Solitude*... raapt het niet op.

Waar zitten de jongens... (*stemmen links van me*) ...ook niet in de pauze... het zakdoekje... ze laat het liggen...

'De geluidsfilm...' zegt Gerard, spleet in het gordijn, kan hem verstaan, 'die bestond nog maar een jaar of vijftien.'

'...de jazz iets langer,' zegt Henk, '...ruim twintig jaar... gebroken melodieën... (*lacht*) we zijn echte modernisten...'

'...Amerika... de film... (*draait zich iets naar Henk*) waar was je?'

'Hier al,' knikt naar een piano in een hoek, een gitaar op een stoel.

'Zeg...' Henk buigt zich iets naar Gerard.

'Ja?'

'Hij schrijft over ons.'

'Waar gaat het dan over?' vraagt Gerard zich af.

'Wat?'

'Die stukken van 'm.'

'Over Brussel,' zegt Henk.

'Ja, daar ging hij heen... workshops dacht ik... wat schieten wij ermee op...'

'Nee, niets... ofschoon...'

'Wat...'

'Je weet het niet... misschien...' buigt zich naar Gerard – fluistert 'm iets in het oor.

'...versta je niet,' buigt zich nog 'ns naar Henk.

Wat heb ik over Brussel tegen Henk gezegd? Er wordt ook geserveerd, whisky voor Gerard en een biertje voor Henk.

'Wanneer beginnen ze?' vraagt Gerard.

Henk kijkt om, zal ik tevoorschijn springen?

'Weet jij wat het gemiddelde tempo is bij applaus?' loopt Gerard vooruit op de muziek.

'Nee, wat?'

'Vier klappen per seconde.'

'Lijkt me veel,' zegt Henk.

'Mensen met grote handen zijn langzame klappers en

mannen klappen langzamer dan vrouwen,' dit is echt iets voor hem en ik kan 'm niet meer stoppen.

'En is er nog een bepaalde stijl?' vraagt Henk. Hij geeft Gerard alle kansen.

'Palm tegen palm geeft het hardste applaus.'

'Dat dacht ik al.'

'Palm tegen palm en dan krijg je vingers tegen palm,' het laatste doet hij voor, alsof Henk het anders niet helemaal zou begrijpen.

Meestal begint nu de muziek, midden in het gesprek, en dan weet je later niet meer waar je bent gebleven. Dat gebeurt niet. Gerard praat rustig door.

'Vingers tegen vingers geeft een applaus van niks en nu mag jij raden wat een computer met al dat geklap kan beginnen.'

'Niets, denk ik,' zegt een man aan het tafeltje naast de twee vrienden. 'Het is een strikvraag.'

Gerard buigt zich naar de plek waar de stem vandaan komt.

'De naam is Uittenboogaard,' hij spelt het. Een maatpak, jaren vijftig. Z'n haar steil, achterovergekamd.

'Een computer kan 90% van de klappers herkennen...' gaat Gerard verder. Hij kijkt nu weer naar Henk.

'...dus ieder mens...'

'...heeft z'n eigen kenmerkende klap.'

Henk draait zich iets opzij, hoofd heen en weer, hij zoekt de muzikanten.

'Ik kom net terug van Saudi-Arabië,' zegt Uittenboogaard, 'daar mogen vrouwen helemaal niet klappen.'

'O,' zegt Henk.

'De wereld, de Verenigde Naties, zij zwijgen ter wille van de olie,' woordkeus uit de jaren vijftig, net als de stem.

'Je drinkt een glas water,' begint Gerard. 'Nu vraagt iemand je iets. Moet je stoppen of doordrinken tot het eind en dan pas antwoord geven. Stelt u de vraag, meneer eh...?'

Gerard pakt z'n glas, 't staat naast z'n whisky, en begint te drinken. Langzaam, maar beslist.

'Doet u deze proef voor het eerst?' vraagt Uittenboogaard.

Nu zie je het ogenblik naderen, waar het Gerard om gaat. Hij is al over de helft... zal hij stoppen, nee, hij drinkt door, tot de laatste druppel. 'M-è-è-è-è-è-h-h,' zucht hij, zo van ik heb het gered en dan pas, 'ja, voor het eerst.'

'Dat klappen en nu weer het water... het doet me denken aan iets anders...' zegt Uittenboogaard.

'Wat dan?' vraagt Henk.

'Dat zal ik u zeggen. Ik heb net in New York *Faking It* gezien, *Manipulated Photography*, om de titel compleet te maken, *Before Photoshop*.'

'Wat zag je daar?' Henk zit rechtop, al is het maar om er kritiek op te hebben.

'Plaatjes die niet kloppen en ook weer wel. Een wiel met levende mensen als spaken. Half kat, half mens, zo ziet een vrouw eruit. Een man jongleert met zes hoofden, in een cirkel, die bewoog bijna.'

'Hebt u geen catalogus?' vraagt Henk.

'Uitverkocht... ik kan u wel iets in het echt laten zien.'

Hij pakt z'n tas en haalt er een envelop uit. Er zitten twee kiekjes in, 'kijk, het Paleis op de Dam met De Nieuwe Kerk ernaast en verder hoef ik niets te zeggen.'

Henk en Gerard houden de foto's op. Een meer of is het een zee met daarop twee stoomboten, de achterste vlak voor De Nieuwe Kerk. Op de tweede zie je een weiland met grazende koeien en een groot wit hek. Het paleis verandert in een boerderij.

'Het is van voor de oorlog,' zegt Uittenboogaard.

Op dat ogenblik begint een gitarist te spelen. 'Nuages' of 'It Was So Beautiful', een van die twee, kan het Henk straks vragen. De pianist, niet eens besteld, denk ik, je hoort alleen een gitaar.

Het moet wel heel goed worden gespeeld en dat gebeurt hier, ik ken het van Django Reinhardt. Koket en ook slim, in elke buiging zit een belofte die min of meer openblijft, oningevuld. Zo ontkomt het nummer aan z'n eigen melodie, Henk zit op het puntje van z'n stoel.

De gitarist begint zachter te spelen, alsof hij iets onbekends begeleidt. Zal ik erbij gaan zitten? Je hoort wat zelden aan de oppervlakte komt, 't wordt anders weggedrukt door een piano of een saxofoon.

Ik loop naar de andere kant. Achter mij de mooiste melodie... raak er verder van af, iets prettigs, dat weet je nog, al bijna niet meer waaruit dat dan wel bestaat... het zit tegen het vergeten aan.

De zaal in, zo ben ik ook gekomen. De tafeltjes en stoelen staan wel erg slordig bij elkaar. Gauw neergezet. Het heeft iets van de Superfilmonderneming van Toonder, met sterren als Pietje Kolibrie, Jak en andere maffiosi uit het dierenrijk.

Door twee openstaande deuren zie ik een mand met een ballon, midden op een grasveld. Staat hij er net? Twee mannen lopen ernaartoe en trekken aan de strakke touwen, alsof de ballon binnenkort de lucht in zal gaan.

O Thomas O'Harris viel dood op de grond
Maar Mary de deerne bleef kerngezond.

dichtte Henk in 'De aeronauten'.

'Waar komt u vandaan?' vraagt de Portugese met de tas, alsof ze op me heeft gewacht.

'Ik zoek iets.'

'Weet u al hoe die film van Buñuel heet?'

'*Le fantôme de la liberté*.'

Het is druk geworden. Ik veer iets omhoog en zoek over de hoofden van de bezoekers heen Gerard en Henk, desnoods met Uittenboogaard erbij.

'Ze is zoek en staat naast haar vader,' zegt de vrouw, 'krijg het niet meer uit m'n hoofd.'

'...net een aansteker...'

'...een wat?' vraagt ze.

'...hij ligt op tafel en je ziet 'm niet...'

'...je kijkt eroverheen...' zegt ze.

'...hij is er niet en hij is er wel...', leg even m'n hand op haar schouder en loop in de richting van de gitarist, als hij nog speelt tenminste... een schouder, langs een heup, hoef me net niet te verontschuldigen.

Misschien speelt hij nog zachter. De bezoekers wijken uiteen, alsof er aan beide kanten iets bijzonders gebeurt. Hij zit er nog, 'Moonglow', als ik me niet vergis. Gerard en Henk zijn verdwenen. De heer Uittenboogaard steekt z'n hand op, al heeft hij mij niet eerder gezien.

De Oude Graanmarkt

Het is druk aan de aluminium toog van Noordzee in de Sint-Katelijnestraat, waar de klanten buiten staan te eten en te drinken. Henk heeft een biertje besteld en Gerard een glas droge witte wijn, bij de mosselen, dat sprak vanzelf.

'Ik moet aan *Wonder Man* denken,' zegt Gerard.

'...met Danny Kaye...' vult Henk hem aan. Hij stopt een mossel in z'n mond, warm en kruidig, vast alweer op als hij iets moet zeggen.

'Hij is neergeknald... leeft min of meer door via z'n tweelingbroer.'

'...weet het nog...' zegt Henk, 'iets voor meneer Uittenboogaard.'

'Aan een bar probeert hij een biertje te pakken, maar hij grijpt erdoorheen.'

'...krijgt het niet meer te pakken...'

'Dat is bij ons wel anders,' zegt Gerard en hij neemt z'n laatste slok, 'laten we gaan.'

Ze lopen de straat uit en gaan op het terras van De Markten zitten. Op een stoel naast Henk staat een tas. Er zit ook een man aan het tafeltje en hij zal wel op de tas letten, hoewel je dat nooit zeker weet.

'Ik heb het eens uitgezocht,' zegt Henk.

'Wat?'

'Hoe je een stoel het langst vrij kunt houden.'

'Met een tas?' vraagt Gerard.

'Nee, zonder tas, gewoon door iets te zeggen.'

‘Wat zei je dan?’
‘Deze stoel is bezet... dat helpt vier minuten... als je hetzelfde in het Engels zegt... ruim vijf minuten...’
‘In het Frans?’
‘Houd ik de stoel wel tien minuten mee vast... tot een man Frans sprak...’
‘...denken ze dat het om iets anders gaat.’
‘...en in het Zweeds zo lang als ik wilde...’
Ze staan op, rekenen niet af, vergeten het misschien nu ze zich zo in een lege stoel verdiepen. Niemand houdt ze tegen.
‘Waar woont-ie nou?’ vraagt Henk.
‘De overkant, dacht ik.’
‘De oneven nummers.’
‘Zie je dat kind daar,’ zegt Gerard, ‘achter haar ouders...’
‘Ja?’ ’t Klinkt of Henk iets vermoedt.
‘Kijk, nu wil de moeder dat het kind naast haar komt lopen.’
‘Ik zie het.’
‘Moet ze niet doen.’
‘Nee?’
Gerard vertelt dat een kind altijd een eindje achter zijn ouders loopt. Hoe kleiner het kind, hoe groter de afstand tot vader en moeder.
‘Het wil z’n ouders helemaal zien. Als het te dichtbij loopt, ziet het alleen de benen. Dan is de kans op een vergissing groter.’
Er loopt een donkere vrouw op Gerard af. ‘Hoe kom ik in Molenbeek?’ Het mooiste Vlaams, alleen al daarom moet ze bestaan.
Hij wijst naar rechts, ‘u loopt de Dansaertstraat helemaal uit...’
‘...die kant op...’ geeft ze Gerard gelijk.
‘...ja... de brug over... krijg je de Gentsesteenweg...’

'...weg, ja...'

'...en dan ziet u het vanzelf... de markt van Allah...', ze loopt weg zonder nog iets te zeggen.

'Hoe wist je dat?' vraagt Henk.

'Heb me goed voorbereid.'

Het huis is groter dan ze dachten. Wel twintig meter diep en een uitzicht op een plein en een straat met veel scholen.

'Wat een kinderen,' zegt Gerard.

'Leuk om te zien.'

Op een ouderwets bureau staat een laptop. Een paar potloden met bovenin een vlakje, een vulpen, de gouden rand enigszins weggesleten. Duidelijk een Pelikan.

Gerard pakt een steenrode map van het bureau en gaat ermee aan tafel zitten, in de grootste kamer.

'Wat is dat?' vraagt Henk.

'Even kijken.'

'Zou je 't wel doen?'

'Even lezen.'

'Laten we weggaan.'

Gerard schikt wat papieren, 'kijk, hij is al een eind... een hert... hier Marilyn Monroe... Mechelen... iets over een aanrecht en een loodgieter... nog niet af.'

'Ga je 't nou echt allemaal doornemen...'

'Merkt-ie toch niet.'

'O, nee...?'

'Kijk, hier begint hij over Magritte...'

Henk gaat zitten, nieuwsgierig, 'wat zegt-ie daarover?'

'Hier... het eenvoudigste voorwerp is voor Magritte een vraagstuk... (*slaat wat over*) ...als een doormidden gescheurd bankbiljet waarvan je maar één helft hebt...'

'Geef 'ns,' zegt Henk, onhandige beweging van beiden, zes, zeven papieren vallen op de grond.

'Verdomme.'

'Don't worry,' zegt Gerard, 'ze zijn genummerd.'

Hij herschikt de papieren en geeft ze aan Henk.

'Hier vind ik nog wat,' zegt Gerard. Z'n vriend hoort het niet, hij leest Magritte.

'Zeg...' houdt Gerard vol.

'Ja...?'

'Hier begint hij over een mail van je...'

'...wat dan...' zegt Henk afwezig.

'Dat-ie nog een mail van je kreeg uren nadat je was verdwenen...' zegt Gerard, 'over het adres van een jazzwinkel...'

'...gaf hij geen antwoord op...'

'Nee... z'n computer stond zeker uit... bij Gmail krijg je de datum... van als je het ding weer aanzet.'

'Zal wel,' zegt Henk, 'eerst Magritte.'

'Kunnen we het verhaal misschien een goede plaats geven,' zegt Gerard.

'Stil nou.'

De Japanse kers bloeit in de Mimosastraat. Er staan zoveel bomen aan weerszijden van de weg dat je ze nauwelijks kunt tellen. De bloesem van verborgen takken dringt zich in het roze van een beter zichtbare boom.

Op nummer 97, vlak achter zo'n Japanse kers, woonden Georgette Berger en René Magritte. Ik herken het huis aan de foto's van de Amerikaan Duane Michals. Hij bezocht het echtpaar in augustus 1965.

't Is een woning die als voorbeeld van een huis in een kinderkleurboek kan staan. Achter een hek een erker, op de eerste verdieping twee balkons en daarboven raakt een schuin dak op een hoek een ander schuin dak.

De Mimosastraat ligt in het heuvelachtige Schaarbeek. Deze wijk of moet je het een door Brussel opgeslokt dorp noemen, is beneden volks en slordig. Gevels in fabriekskleuren. Gierende trams. Boven is de bloemenbuurt met veel buikvillaatjes een toonbeeld van hier zal nooit iets gebeuren. Zelfs geen verkeersongeluk. De Mimosastraat is leeg.

Berger en Magritte trouwden in 1922 en bleven een leven lang bij elkaar. Dit werd in 1957 hun laatste huis. René stierf er in 1967 en Georgette in 1986.

Ik gluur langs de vitrage naar binnen. Magritte heeft zoveel kamers en huizen geschilderd dat zijn eigen woning erdoor wordt bezield. Achter het raam vult een grote appel de kamer tot het plafond. Op de grond voor het huis wordt het pikdonker en toch blijft het in de lucht helder. Dag en nacht op hetzelfde ogenblik.

De tuin kan ik met bewegende beelden tot leven brengen. In oktober 1956 kocht Magritte – hij was nog net zevenenvijftig – een filmcamera. Op 8 millimeter begon hij z'n vrienden te filmen, eerst in zwart-wit, later ook in kleur. De filmpjes heb ik net gezien in het Koninklijk Museum voor Schone Kunsten.

Daar loopt de dichtende componist E.L.T. Mesens naar een rij bloemen. Hij bukt zich en schat met een vlakke hand of de bloemen wel in een rechte lijn staan. Meer niet.

De advocaat Jean-Marie Van Parys danst door de tuin. Hij houdt een tuba op z'n hoofd en trekt gekke gezichten. Achter hem een sliert vrienden van Magritte, de handen op elkaars schouders. Wie lopen daar, Louis Scutenaire, Paul Nougé, Irène Hamoir, ze vond dat Magritte de mens gebruikt als ieder ander willekeurig ding.

Op sommige filmpjes komen we het huis ook binnen. Kijk, daar zit de dichter Paul Colinet. Hij berekent iets met een paar suikerklontjes, een glas water en een karaf. Is het een meetkundig vraagstuk? Aan het eind giet hij het water in de karaf.

Mimosastraat 97, Brussel, 1998. *Foto Erica Stigter*

Intussen houdt Magritte in de tuin een glas water recht boven een paraplu. Aan de overkant is een buurvrouw naar buiten gekomen. Ze ziet me staan, 'c'est une maison privée,' roept ze.

Waar werkte Magritte? Toen Duane Michals hem naar z'n atelier vroeg, werd hij naar de huiskamer geleid. Die was met een sofa, een fauteuil en een paar boekenkasten gemeubileerd. Een schildersezel en een palet waren voor Michals de enige sleutels 'tot wat hier gebeurde'.

De gastheer droeg een donker pak, een wit overhemd en een rode das. Michals vermoedt dat Magritte ook een kostuum aanhad als hij schilderde.

't Is of Magritte met opzet onderbood, zich omgaf met een gemiddelde smaak die scherp bij zijn schilderijen afstak. Ook de 8 millimeter-films horen bij de eenvoud van het huis en het atelier. Veel scènes met blote dijen en rode lippen om een banaan, misschien wel om aan al dat geklets over kunst te ontkomen.

'Lekker ordinair,' zegt Gerard.

'Kijk 'ns of hij wat te drinken heeft.'

Henk laat de bladzijden langs z'n duim ritsen en schat de omvang van het manuscript. Halve fles witte wijn, Gerard komt terug uit de keuken, 'stootte m'n kop tegen een afzuigkap... die map is van de Gebr. Winter, dat zie ik nu pas.'

'Al eerder gebruikt,' lacht Henk, 'belasting '93 is doorgestreept.'

Waar was Magritte met het voorkomen van de eeuwige kantoorklerk in die niets-aan-de-hand-omgeving op uit?

Bij hem thuis was het licht niet in dag en nacht gesplitst en lagen de appels gewoon op een schaal. Toch kon hij binnen zijn gezichtsveld geen samenhang ontdekken.

Op een lezing met de naam 'Levenslijn' uit 1938 zei hij dat elk landschap als een gordijn voor zijn ogen hing. De muurschildering uit 1961 in het Congrespaleis is een samenvatting van zijn motieven.

Nog groter is *Het betoverd domein*, dat in 1953 onder leiding van Magritte door een ploeg decoratieschilders in het Casino van Knokke werd uitgevoerd. Het was een opdracht van de industrieel Joseph Nellens, de eigenaar van het casino.

't Is een schildering op de ovale wand van de Luchterzaal, zeventig meter lang en vier meter hoog. Een stuk of tien taferelen lopen in elkaar over. Veel oude bekenden van Magritte, de trapstijl, het paardenbelletje, de vis, de fles, de maan, het schip, de blauwe vrouw, de open vogelkooi als lijf.

Hij ontwierp behang, affiches, advertenties en werd pas

bekend aan het eind van de jaren vijftig. Wie zal hem de muurschilderingen kwalijk nemen? 'Veracht de burgerman, doch ledig zijne kruiken', dichtte zijn landgenoot Richard Minne.

Toch begint de erosie van zijn beelden in het Casino en het Congrespaleis. Na zijn dood was er geen houden meer aan en werd zijn werk op grote schaal toegepast.

De schilder moest op het omslag van een boek elk verhaal dienen. In de krant *Le Soir* laat Belgacom de bolhoedman van Magritte een halfmaantje uit de lucht plukken om ermee te telefoneren.

Hoe krijg je die korst van betekenissen er ooit weer af?

'Ja, hoe,' zegt Henk, 'goeie vraag.'

Een paar kiekjes van GB en JB liggen slordig op tafel. Gerard doet ze, onder het lezen, in de map, alsof ze daar thuishoren, een gebaar dat je vergeet terwijl je 't maakt.

Mimosa Esseghem

Ik ga het museum voor de tweede keer in. Geen plaatje in dienst van een hopeloos dit of dat, de luxe van het werk zelf. In 1925 besloot hij, zoals hij in 'Levenslijn' zegt, 'enkel objecten met hun zichtbare details te schilderen'. Alleen die zouden 'de werkelijke wereld' ter sprake kunnen brengen.

Welke wereld?

De meest nabije. Voor Magritte was de lijst van een deur al opmerkelijk. De simpelste dingen zijn in z'n jeugd voor hem een gevaar. Vrijwel meteen schildert hij een trapspijl en het belletje van een paardenhoofdstel.

De geheimzinnige dubbelganger uit 1927 is een zeegezicht met vooraan de kop van een man. Z'n gelaat is deels weggesneden. In de holte zie je een regen van paardenbelletjes.

De trapspijl vervangt in een tuin de Japanse kers. Uit z'n knoppen en rondingen groeien takken met bloesem, een trapspijl in bloei.

René Magritte werd op 21 november 1898 geboren in Lessen, Henegouwen. Hij was de middelste van drie broers. Zes jaar later verhuisde het gezin naar Châtelet aan de Samber.

Op 24 februari 1912 verdronk z'n moeder zich in de rivier. Ze werd gevonden met haar nachtjapon over haar hoofd. Een afgedekt gezicht zou haar zoon René vaak schilderen.

Iemand naast me zegt dat het wel meevalt hoe Magritte z'n verf gebruikt. Wat had hij dan verwacht? Steeds zegt men dat Magritte te vlak schildert. Dat was nu juist noodzakelijk voor zijn leesplankachtige beelden.

Vanaf 1933 worden de objecten uit Magrittes wereld zowel fantastisch als vanzelfsprekend. Ik sta voor *Het rode model* (1937) of noem het een paar voetschoenen. Het leer gaat over in de huid van de voet. Even verder hangt *De doorboorde tijd* (1938): een rokende locomotief vliegt uit een schoorsteengat de lege kamer in.

Wie denkt dat de voetschoen en de kamerlocomotief uit de vrije verbeelding voortkomen, vergist zich. Magritte zag ze als de oplossing van dagelijkse problemen waarop maar één antwoord mogelijk is.

In 1933 wordt hij wakker in een kamer 'waarin iemand een kooi met een slapende vogel had neergezet'. Hij ziet later dat de vogel 'door een prachtige vergissing' uit de kooi is verdwenen en vervangen door een ei.

Het lijkt of het ei al van tevoren met de kooi is verbonden, 'maar dat die kennis als het ware diep in mijn gedachten verborgen zat'.

Daarna begint hij te geloven dat elk voorwerp, net als de kooi, zo'n pendant heeft en dat het maken van een schilderij slechts een zaak is van goed zoeken naar die ene aanvulling.

Zo wordt het eenvoudigste voorwerp voor Magritte een vraagstuk dat hij moet oplossen, als een doormidden gescheurd bankbiljet waarvan je maar één helft hebt.

Een deur?

Die vraagt om een gat waar je doorheen kunt stappen.

Een raam?

Zet er een schilderij voor met de afbeelding van het stuk landschap dat door het doek wordt verborgen.

Een huis?

Laat door een open raam een kamer zien die zelf een huis bevat.

Magritte geeft een stuk of tien voorbeelden van zijn vraag-en-antwoordspel. Z'n andere voorstellingen beschrijft hij niet. Hoe kun je dan nog uitmaken met welke gedachte hij is begonnen?

De appel voor het gezicht. Welke van die twee is de vraag?

De tuba in het vuur. Wat is van dit koppel het antwoord?

Van een adelaar gaan de vleugels over in de bergen. Hoe luidt de vraag, is het de vogel of het gebergte?

Een antwoord is er niet. Dat onbesliste geeft aan z'n voorstellingen een onbepaalde duur. Onder het mom van het allergewoonste zie je een grote eigenschapswisseling.

Binnen poseert Magritte gewillig voor Duane Michals. Hij zit voor *De maagdenwagen*. Het stelt een koffertje voor dat op een handspiegel staat.

Met hetzelfde doek poseert hij in de tuin. Hij houdt het dicht bij z'n lijf met één hand vast. Het hele doek is in een koffer veranderd.

Hij heeft een zwarte jas aangetrokken en een bolhoed opgezet. Dat moet Michals plezier hebben gedaan. Magritte ziet eruit als de heer die op een groot aantal van zijn schilderijen getuige is van een (on)opvallende gebeurtenis.

Magritte zet zijn bolhoed omgekeerd op zijn hoofd. Midden in de kamer plaatst hij een amazone en haar paard, verstrikt geraakt in bomen en hun gebladerte. De schilder gaat ernaast staan en bevindt zich nu ook in dat bos. Met die poses komt Magritte tegemoet aan het beeld dat de bezoeker van hem heeft.

Vreemder zijn de foto's waarop hij, verdiept in zijn papieren, achter zijn bureau zit of vanaf de groene bank ernstig naar de fotograaf kijkt.

In dit huis betrapt Michals meubels en voorwerpen in

René Magritte, Mimosastraat 97, Brussel, 1965. *Foto Duane Michals*

hun voorlopige staat, alsof ze op het punt staan te veranderen, een verbond sluiten met iets wat ze nog niet kennen.

Af en toe neemt Magritte vrijaf van de onheilspellende verandering. In de jaren veertig maakt hij werk met van Renoir en Sisley geleende zonnestrepen en daarna komen nog de baldadige koppen van de période vache.

In Galerie Christine & Isy Brachot, vlak bij het museum, is het laatste werk van Magritte te zien. Een schilderijtje dat weer aan het rijk der lichten, dag en nacht op één doek, is gewijd. Hij kreeg het niet meer af.

Daarnaast de laatste tekening. Een heer zit zonder hoofd aan tafel. Voor hem ligt een boek. Een hand rust erop. Helemaal los, niet meer met het lijf verbonden. Uitgetekend misschien.

Esseghemstraat 135, Brussel, 2012. *Foto K. Schippers*

Er rest me nog één bezoek. Georgette en René gingen in 1930 in Jette wonen, een wijk in het noordwesten van de stad. De Esseghemstraat, nummer 135, hun eerste Brusselse adres. Ze bleven er tot 1955. Twee jaar later zaten ze in de Mimosastraat.

Jette is net zo slordig als het benedendeel van Schaarbeek. Als ik de Esseghemstraat zoek, kom ik in een iets netter stuk terecht. Hier heeft Magritte z'n beste werk gemaakt.

De voetschoen, de kamerlocomotief, het verborgen landschap, het gezicht met het vrouwenlijf, de brandende tuba, de rotsadelaar, dat alles heeft hij in Jette geschilderd.

In de Esseghemstraat zie je erkers, platte daken, dan weer een puntdak, ijzeren balkons. Het enigszins deftige licht heeft hij naar z'n voorstellingen overgebracht.

Daar is het huis. Weer is er niets aan de hand, begane grond met een raam, daarboven een erker, nog een verdieping met een balkon. Waarom ontroert het me zo. Hij moest toch ergens werken. Dat die schilderijen ooit zijn gemaakt en dan ook nog hier. Vlak voor me. 't Is of ik z'n beelden terugbreng naar waar ze zijn ontstaan, nooit meer op een aanplakbiljet of een roman.

Ik loop naar het raam en kijk naar binnen. In de kamer staat een cementwagentje, dat zie ik het eerst. Museum in aanbouw. Daarachter de schoorsteenmantel, in een onbewoonde kamer. Hier heeft hij het antwoord gevonden, op dat gat in die schoorsteen. Er steekt een krant uit.

Alles kon hij bedenken, elk antwoord kon hij geven, daar komt het, uit de schoorsteen, een róóóóóóóóóóóóóóóó óóóóóóóóóóóóóóóóóóóóóóóóóóóókende locomotief.

Nu ik in Brussel woon, bezoek ik op de Kunstberg het nieuwe Magritte-museum met drie verdiepingen. Er hangt een gedempt, bijna gewijd licht.

Mijn hart gaat uit naar het huis in de Esseghemstraat. Het is nu ook een museum. Ik sta ervoor en weer wordt het tegelijk dag en nacht. Als je je ogen een beetje dichtknijpt wonen René en Georgette nog steeds beneden. Die indruk wordt door de meubels in de salon aan de straatkant gewekt.

De glazen deuren, het venster of de trap naar boven, soms loop je langs een decor dat je van een doek denkt te kennen. Het vroegere interieur stond Jacqueline Nonkels, een vriendin van het echtpaar, nog levendig voor de geest.

Een zwartmarmeren tafel, een spiegel met gouden lijst, de glimmende haard onder de schoorsteenmantel. Geen locomotief meer te zien. Wel een witte hond, hij zit op het bed en op de tafel vlak voor de schildersezel staat een schaakbord.

In elke kamer hangt de sfeer van hier is niets aan de hand, als in de Mimosastraat. Toch zie je Marcel Mariën, René Magritte en z'n broer Paul in de tuin stenen uit de muur trekken, om ze op te eten.

Het is niet eens zo druk in het museum. Veel kinderen, ze hebben haast. Je zou hier eerder stilte verwachten. Ik vraag wat ze aan het doen zijn.

Bella laat me een formulier met foto's zien, 'we moeten van school de moordenaar zoeken.' Ze kijkt me met koortsachtige ogen aan. Het lijken wel politiefoto's. Daar heb je René en Georgette, eronder hun vrienden Hamoir, Colinet, Scutenaire en Nougé.

'Weet u wie het heeft gedaan?' vraagt Bella.

'Misschien wel allemaal,' maar in m'n hart denk ik, de dingen, die hebben het gedaan. Was de schoorsteen er eigenlijk wel eerder, begon het soms met de trein?

Tijdelijke kennis

Een Russische vriend van me, een hoboïst, is getrouwd met een Nederlandse vrouw. Na zijn optreden komt hij vaak laat thuis en dan slaapt hij nog als zij al naar haar werk is. De boodschappen heeft ze op een blaadje geschreven. Mijn vriend kent het Nederlands redelijk goed en spreekt het haast zonder accent.

Laatst vond hij een briefje met andijvie, biefstuk, amandelen. De eerste twee, geen probleem, zo vaak gegeten. Hij staat in de kamer en zegt de woorden an-dij-vie, bief-stuk langzaam op, alsof hij ze proeft. Nu nog a-man-de-len, wat kan dat zijn?

Hij zou zijn vrouw op kunnen bellen. Zij heeft een drukke baan als doktersassistente en wil niet dat hij haar voor iets alledaags stoort. A-man-de-len, hij denkt dat hij het goed uitspreekt. De betekenis blijft weg.

Hij verlangt naar een stad aan de Wolga, waar alles wat hem omringt in het Russisch tot zijn beschikking staat. Hij pakt z'n hobo en begint zomaar wat te spelen. Het wil nog wel eens dat je dan iets te binnen schiet. A-man-de-len, hij improviseert het ritme op z'n instrument. Het blijven klanken, meer niet.

Ach wat, hij komt er in de supermarkt aan de overkant wel uit. Hij loopt langs de schappen en leest wat er op de verpakking staat. A-man-de-len, het moet iets gewoons zijn, z'n vrouw denkt dat hij het woord kent. Hij heeft de tijd, bekijkt alle levensmiddelen en vindt het woord niet.

Zou het iets zijn wat onverpakt is, net als biefstuk en andijvie? Dan wordt het moeilijker.

Hij moet een verkoper vragen wat het woord betekent. Of niet? Mijn vriend woont hier al een jaar of vijf en om nu in goed Nederlands naar iets heel eenvoudigs te gaan vragen, dat is een te grote nederlaag. Ineens krijgt hij een idee.

'Waar staan de amandelen hier?' vraagt hij.

'Die hebben we niet,' zegt de bediende en hij is alweer doorgelopen.

Nu moet mijn vriend opnieuw beginnen. Het wordt een erezaak voor hem. Hij loopt de eerste de beste winkel in. Daar kan hij geen woord op de verpakking lezen. Het staat er in het Arabisch.

Hij vraagt het een Turks uitziende man, dat is de kortste weg. 'English please,' zegt de bediende, 'I'm from Egypt.' Nederlands spreekt hij niet. Later misschien.

De muzikant laat hem het blaadje met het woord amandelen lezen, dat moet dan maar, en spreekt het ten overvloede ook nog eens uit, 'a-man-de-len.'

Ze kijken elkaar aan. Rusland en Egypte verspreiden zich over de Nederlandse bodem, in deze kleine supermarkt. Dan lopen ze naar de kassa, de Rus en de Egyptenaar, en daar vraagt mijn vriend het aan de jonge caissière.

A-man-de-len?

Ze weet het ook niet, wacht, ze kan het opzoeken in een piepklein woordenboekje, Nederlands-Arabisch. Ze staat op, noemt het woord niet eens, haalt het zakje en zet het naast de kassa.

De onvindbare amandelen neem ik mee naar New York, waar de Joegoslavische dichter Charles Simic in 1953 aan land ging. Ze doen me denken aan Joseph Cornell (1903-1972) en het eerbetoon dat Simic hem bracht in het boek *Dime-Store Alchemy*.

In zijn kastjes en dozen verenigt Cornell de meest uiteenlopende dingen, een kaart van de maan, zeepbellen, een stenen pijp. Simic vergelijkt de kijkdozen van de Amerikaan met 'verlaten kinderspelen in een zijstraat, kalkstrepen van een hinkelpad in het zonlicht en de schaduwen van de late namiddag'.

Cornell woonde in Utopia Parkway, New York, en ging elke dag de stad in zonder te weten wat hij zoekt.

'Vandaag kan het een vingerhoed worden', schrijft Simic, 'en het duurt soms jaren voor dat ding gezelschap heeft gekregen. Intussen loopt Cornell en kijkt. De stad heeft een oneindig aantal voorwerpen op de meest onwaarschijnlijke plekken.'

De amandelen, de vingerhoed, ergens verborgen in de stad. De hele dans van wat anders nauwelijks aan de oppervlakte komt, in dit vluchtige gezelschap maken we kennis met de Mexicaanse Mariana Castillo Deball.

Ze werkte een aantal jaren als researcher op de Jan van Eyck Academie in Maastricht en deed daar ook echt onderzoek, belangwekkender dan het verdrag dat ooit in dezelfde stad werd gesloten.

In *Penser/Classer*, haar eerste werk op de academie, laat ze foto's zien van haar verschillende werktafels en ateliers, in het voetspoor van Georges Perec.

'Er liggen veel voorwerpen op mijn werktafel', zo begint de Franse schrijver een tekst. Hij noemt zijn vulpen en een ronde asbak, die hij net heeft gekocht.

Dit sprak Mariana aan en ze begon te zoeken naar een andere te vertrouwde omgeving. Het werd de openbare bibliotheek. Ze keek naar de bezoekers en zocht naar de sporen die ze soms in een boek achterlaten, 'een aantekening, een treinkaartje', zoals ze zelf schrijft.

Ik herinner me een tweedehandsboekwinkel in het centrum van Amsterdam, die werd geleid door Pier Rienks.

Hij overleed een paar jaar geleden.

In de boeken die Rienks kocht was soms iets achtergebleven, de eigenaar was het domweg vergeten. Rienks begon die dingen te verzamelen en stopte ze ongesorteerd in kartonnen dozen.

In die tijd was ik, samen met J. Bernlef en G. Brands, mederedacteur van *Barbarber*. Jaco Groot, directeur van uitgeverij De Harmonie, tipte ons over Rienks' collectie. Wat vonden we?

'Is er nog een fles?' vraagt Henk.

'Nog twee, geloof ik.'

'Kan wel... waar wil hij toch naartoe...'

'Hoe ver zijn we?' vraagt Gerard. Hij slaat een aantal bladzijden terug, 'hier lopen we op de markt...'

'...die vrouw die de weg vroeg...'

'...naar Molenbeek, ja...'

'...dat is net gebeurd... laten we opschieten...'

'...anders haalt-ie ons nog in.'

Er viel van alles uit de boeken, een voetballer, Christus tussen de apostelen, een man die op een besneeuwde berg met z'n arm zwaait. Melkbonnen, strafregels, bruiloften en 'pappies adres', 3020 5th Street, S.W. Calgary-Alberta, Canada.

Toen we verder keken, kreeg de hele verzameling iets van een wonderland, met, zoals Mariana Deball schrijft in *The Reader's Traces*, 'een beginpunt voor allerlei verhalen' of, nog korter, 'een spoor van de eerste ervaring'.

Wat te denken van een Duits formulier gericht aan 'herrn Hendrik Burger in Amsterdam, zur freundlichen Erinnerung des Gaues Essen der N.S.D.A.P. sowie der Reichspartei in Nürnberg, den 1. September 1933', met een stempel van een adelaar en het hakenkruis?

Er zit een handgeschreven menu in een doos van Rienks. Russische eieren, aspergesoep, biefstuk in maderasaus, verscheidene groenten en, ten slotte, ijs. Het werd gegeten in Hilversum, op 10 september 1949.

Bij Rienks gaat er ook iets verloren. Dat is de plaats waar de brief, het diploma, de kindertekening, het kiekje of het muziekpapier de bladzij raakt.

In het boek dat de klant naar de winkel bracht, zaten eerst twee betekenissen dicht tegen elkaar aan, een welhaast erotische bijeenkomst. Geen huwelijk, dat is te sterk, maar je kon wel van een verloving spreken. Die wordt verbroken. Mariana Deball laat die intact, veroorzaakt haar zelfs, als een makelaar. Ze vroeg verschillende kunstenaars, die ze zorgvuldig koos, een spoor op te geven, een tekst, een beeld, wat ze maar wilden, om in een boek naar eigen keuze achter te laten.

'Alle tussenvoegsels werden gedrukt en verspreid naar de aanwijzingen van de medewerkers', schrijft Deball. Ze wilden dat er iets kwam in *Frankenstein*, *Treasure Island*, *Die physikalischen Prinzipien der Quantentheorie* en in talrijke andere uitgaven, over archeologie en het Bauhaus, om er nog enkele te noemen.

Het boek van Mariana Deball is de catalogus. Het echte werk maakt deel uit van de openbare bibliotheken in Berlijn, Parijs en New York, de plaatsen waar zij de sporen achterliet.

De betekenissen zijn verborgen. Je vindt ze alleen als je het boek openslaat en daarom noem ik ze hier niet. Misschien kun je niet eens van een betekenis spreken in dit klimaat, zo schuchter is het.

Mariana Deball bedekt wat ze wil laten zien. Het moet een beetje verlegen zijn. De sporen zullen vervagen. Ze maken deel uit van de andere dingen die terloops in een boek zijn achtergebleven, bijna onzichtbaar, over de wereld verspreid.

De berichten van Cornell, Deball, Rienks en de Russische hoboïst horen bij een afdeling in ons dagelijks leven waarover zelden wordt gesproken. Elke dag gebeuren er wel enkele dingen die je nauwelijks een voorval kunt noemen.

Je praat in een rij met een vriend tot een ander je aanvult, ‘o nee hoor, ’t gaat pas om zes uur dicht’. Even verder wil een vrouw een auto parkeren, gaat aarzelend ergens staan en rijdt weer weg. Niet meer weten hoe iemand eruitziet en hem toch herkennen en vervolgens vergeet je ’m weer. Waarom zou je hem onthouden?

Deze kortstondige en tedere sporen vormen de meerderheid van onze gedachten. Het bonnetje van een garderobe en je weet niet goed wat je ermee moet doen als je je jas weer terug hebt. Het beslissen van wat kort en wat te lang duurt. Het gezicht voorspellen van een vrouw die achter je zit te telefoneren in de trein.

Nog minder, dat kan ook, je knippert met je ogen en je ziet beter en dan knipper je met je ogen en je ziet niet meer beter. Tijdelijke kennis, zo vluchtig als je hand onder je kin. Echt voor enkele ogenblikken, daarna verdwenen. Je praat er niet over en je denkt er ook niet meer aan.

Het productiemeisje

Het lijkt wel of de tijd zich schikt naar Yasmina Haddad. Omdat het haar uitkomt is het half vier en geen seconde later. Ze staat voor m'n deur. Even later zijn we in haar zwarte wagen onderweg naar de VRT, de Vlaamse Radio en Televisie, waar Annemie Tweepenninckx me zal interviewen over JB en GB. Nog een week Brussel, dan zijn de workshops afgelopen.

'Het is voor Radio Klara,' zeg ik.

'Ik weet het.'

Straks een heel gesprek met Yasmina? Ze geeft wel antwoord, maar kort. Het kan ook dat het haar zo is opgedragen. Niet te veel zeggen tegen degene die je haalt. Laat hem met rust.

E. en ik gebruikten de lunch in café Greenwich. Ik dacht dat verderop Benoît van Innis aan een tafeltje zat, de tekenaar die zelfs een tafelpoot en een lamp dompelt in de aristocratie. Hij woont hier in de buurt, dat weet ik.

Ik vraag het zacht aan E., 'is 't hem?' Ze kent z'n gezicht niet. Ik kan het me ook niet goed herinneren, heb het ooit op een foto gezien. Wat adeldom om de slapen en bij de mondhoeken. Ook z'n gezelschap straalt een zilveren rust uit, een vrouw en een wat oudere heer.

Yasmina Haddad rijdt naar het noorden. Daar moeten de studio's ergens zijn. Ik volg haar bewegingen half-en-half zonder op de straatnamen te letten. Soms zijn die ook te ver om er iets van te kunnen zien.

Het lichte schuldgevoel als je met iemand meerijdt. Wat er ook gebeurt, jij zit niet achter het stuur. Je let op de weg en toch denk je ook aan andere dingen. Ergens in Nederland hebben twee gemeentelijke diensten elk contact met elkaar verloren. Zo kwamen er bushokjes op plekken waar al een jaar niet meer wordt gestopt.

Yasmina Haddad heeft de radio aangezet, Radio Klara, nu hoor ik welk nieuws aan het gesprek voorafgaat. Koningin Elizabeth de Tweede heeft een ere-Bafta gekregen voor een cameo, een persoonlijk optreden.

'Kent u het?' vraagt Yasmina.

'Dat is toch... als ze aan haar parachute naar beneden springt?'

'In een gouden jurk.'

De Leuvensestraatweg naar een dorp op een heuvel. De wereld is in handen van de productiemeisjes, je gaat hierheen, daarheen en wie weet nog wel ergens anders. Smalle straten, al het speelse moest hier worden verbannen. De fantasie is voor de programma's.

Een verslaggever vertelde me dat de Waalse en de Vlaamse zenders aparte wijken zijn in dit dorp. Ook de chauffeur dient Frans te spreken als z'n gast straks in die taal iets moet zeggen.

Yasmina parkeert in een echte rtv-straat en begeleidt me naar binnen. Een paar hoeken, een lift, een gang, nog een paar hoeken. Iemand met zoveel gratie te zien lopen op een jou onbekend parcours.

Binnen zit Annemie Tweepenninckx achter een glazen wand bij de microfoon. Ik hoor dat *Touch of Evil* weer wordt uitgebracht in Antwerpen. Een film van Orson Welles over de totale oplichterij, 'Be careful, they're worse than crooks...' met Welles als Hank Quinlan, de Mexicaanse politieman, voor iedereen te koop.

The Treasure of the Sierra Madre, dat was de mooiste film noir voor GB. Er iets over zeggen tegen Tweepenninckx? Bogart bedelt in een Mexicaanse stad, regisseur

John Huston loopt voorbij en geeft 'm een paar peso's.

Bogart wint de loterij, wordt goudzoeker en dan zie je een dansje van Walter Huston, de vader van John, dol van vreugde is hij als ze echt goud vinden, zo zit het, denk ik.

Aan tafel bij Tweepenninckx begin ik niet over goud. Wel haal ik er op de een of andere manier Isfahan bij, zonder te weten waar ik op uit ben... de stad waarheen de tuinman van P.N. van Eyck vluchtte... hoe nu verder, allemachtig, ja hoe... (*zucht om tijd te winnen*) ...dat ik het nou in Brussel moet horen, zeg ik, over GB en JB... waarom in deze stad.

Waar bent u mee bezig... ik vertel iets over deze bundel... dat ik de verdwijning van m'n vrienden erin probeer te verwerken... *Al naar Permeke geweest*... niet alleen modder en boeren... grappiger dan ik dacht... *Bent u van Brussel gaan houden*... 't is een erg mooie stad... niet dat verongelijkte van Amsterdam... steeds heeft men plannen.

Op de terugweg zegt Yasmina dat we nog ergens anders naartoe moeten. Het meisje van de productie zal het wel weten en daarom vraag ik niet waarheen. In haar stem zit iets dwingends. Er klinkt in door dat deze richting goed voor me is.

'Wist u het niet?' vraagt ze.

'Nee... ofschoon... nee... toch niet.'

'Vreemd.'

We rijden door Molenbeek, niet ver van de Oude Graanmarkt. Rechtsaf ga je naar een andere markt, je hoeft er niet voor naar Marokko, zei een actrice tegen me.

'Ik woon in deze buurt,' zegt Yasmina.

'Al lang?'

'Ja, maar nu wil ik er wel weg.'

Ze zegt dat ze graag programma's wil gaan maken, voor de VRT. Niet meer alleen mensen ophalen, maar zelf iets bedenken en 'dan mag je het misschien ook doen.'

Ik wijs naar de gekraakte bierfabriek waar de studenten van de Rits hun voorstellingen voorbereiden.
'Het is net een soort voedsel,' zeg ik.
'Bier?' Iets in haar houding zegt me dat we Brussel straks verlaten.
'Ik bedoel voorvallen.'
'Dat er steeds iets moet gebeuren.'
'Anders kom je niet vooruit.'
'Het is met programma's net zo,' zegt ze, 'dat je niet meer zonder kunt.'
Het wordt stil in de auto. Buiten zie je de velden waar Henk zo dol op is, een stapel planken, een gebutste badkuip, net buiten de stad. Een gesloopte schuur. Landjes die hij zocht voor G. Brands,

in ieder aarzelend einde
van een dorp

steeds weer, aan de rand van de stad.

Plekken die alles doen om
zich aan het zicht te onttrekken

Tervuren, die kant gaat Yasmina op. Het adres staat niet alleen vast, ik vermoed dat de komende gebeurtenissen haar ook al min of meer bekend zijn. Dit is de route die ik met Henk en Gerard eerder heb genomen... dat je je zoiets herinnert, de stand van een rij bomen, de grillige bocht van de weg.
'Er wordt gefilmd,' zegt Yasmina.
Daar heb je de modernistische kolos van gestapelde dozen.
'Ik wacht hier wel.'
'Wil je niet mee naar binnen?' vraag ik.

'Anders moet ik... kijk straks wel even.'

Op het pad naar de deur liggen geen bladeren. Het is vanmorgen schoongeveegd. Dat zie je aan de bladeren op het gras. Weer staat de deur op een kier. Er klinkt muziek, gitaar, ook een piano?

Er zijn ongeveer net zoveel mensen als de vorige keer. Een slordig aantal dat je niet hoeft te tellen om te weten dat het er veel zijn. Daar staat GB te praten met de Portugese aan wie ik over Buñuel vertelde.

'We maken benen,' zegt Gerard.

'Waarheen?'

'Dat zien we wel.'

Ik loop vlug door, al is er nauwelijks tijd voorbijgegaan. Uittenboogaard zit nog op dezelfde stoel, vlak voor het gordijn, tussen ander publiek, dat wel. Hij luistert naar Henk aan de piano, een mengeling van Bill Evans en zichzelf.

Het slot van 'How Little We Know', als de gitaar ontsnapt haalt de piano 'm in. Daarna 'Laura'. Henk vult de hele zaal, Gerard laat de sigarenkistjes leeg. Er is van een film niet veel te ontdekken. Ja, toch, een camera op een stoel, met een man ernaast. Het lijkt Robby Müller wel. Hij drinkt een vers getapt biertje. Wat een mooie kraag.

Wordt het een speelfilm of een documentaire? Niet te zeggen en wat doet het er ook toe. Ik loop langs het gordijn naar de openstaande deuren.

Op het grasveld achter het huis is het nu drukker. De ballon zit nog vast aan z'n touwen. Het kan niet lang meer duren. De mand bonkt al scheef tegen de grond.

Een vrouw in overal laat de gasvlam of is het hete lucht onder de opening iets klimmen. Op proef zo te zien. De vlam wordt weer lager. Of vertrekt de ballon meteen al?

Was het vroeger een hotel of hoort de villa bij de ballonvaart? Binnen hangen zwart-witfoto's aan de wand. Ik bekijk er een paar, vrouwen met hoeden, het lijkt wel een modeshow. Op een andere foto zie je gebak op kristallen schalen, ouderwets van vorm.

’t Is zo’n huis waar van alles is gebeurd, zonder dat het ergens in opgaat. Geen muziek meer. Waar is de gitarist? Een eind verderop loopt Henk met Gerard in de richting van de tuin.

De Portugese tikt me op m’n schouder. Ze haalt een pakje uit haar tas en maakt het zelf open, daar heb je *Het boek van zand...*, ‘van Borges,’ zegt ze.

‘...dat zie ik.’

‘In deze envelop zit fotopapier... onbelicht... in het boek wordt het steeds donkerder...’

‘...hangt ervan af hoe vaak je het opendoet.’

We praten door over *The Reader’s Traces*, de sporen van een lezer.

GB en JB staan in de tuin.

‘Zeg ’t maar niet,’ begint GB.

‘Wat.’

‘Van die mail.’

‘Nee?’

‘Laat ’m die illusie.’

‘Dat je na je verdwijning...’

‘...dat je ...nog iets kunt doen.’

De vrouw bij de mand wenkt naar Gerard. Hij loopt naar haar toe. Henk blijft achter.

bouwde op het grote gazon
achter de ambassade
een rood-witte luchtballon

Hij gaat iets anders staan.

Waarom stegen zij op in een ballon
– Een wolk in een zak –

'Komen jullie?' roept GB en zwaait met z'n hand haastig naar de ballon.

Henk loopt naar hem toe, 'nee, Gerard ook,' hij roept het nog harder.

Ik laat de Portugese achter met het fotopapier en loop naar de ballon. Een lichte aarzeling in m'n enkels, alsof het eigenlijk niet kan.

Gerard zit al in de mand en Henk stapt erin, met gemak. Zo'n prettig gebaar van een vrouw in overal: een in de lucht deinende ballon nog even aan de grond houden. Ze laat los, ik zit er ook in, gejuich. Yasmina staat te kijken.

Nog hoger, zei Thomas O'Harris, zal ik je tonen
de bron van de regen, de start van een storm en

Vlaggetjesdag

Op een foto uit 1952 zit Geer van Velde (1898-1977) op een hoge kruk in zijn atelier, ongemakkelijk, alsof hij die plaats op verzoek van de fotograaf heeft ingenomen. Z'n kostuum lijkt het eigendom van een boekhouder, die het al maanden heeft gedragen.

Het sigarettenpijpje komt uit een andere wereld. De sigaret had uit een mondhoek moeten bungelen, dat hoort bij een schilder die zich om een kleinigheid als roken niet bekommert.

De aanzet van een glimlach plooit zijn lippen. Van Velde kijkt naar een tafelblad, waarop een paar blikjes, penselen, houtkrullen en een donkere lap liggen, met een blik van: moet ik het daarmee doen?

Het werk van Geer van Velde is licht en bekoorlijk. Voor hem niet de ernst van de schilder die het wereldraadsel heeft opgelost. De stillevens, ateliers en andere interieurs aarzelen in zachte kleuren over hun eigen vorm.

Als ik z'n werk zie, moet ik denken aan wat Sophie Taeuber aan haar pleegdochter schreef. Ze vond dat ze genoeg met haar over ernstige dingen had gesproken en daarom wilde ze het nu eens hebben over iets waar ze veel waarde aan hechtte: vrolijkheid. Dan hoef je geen angst te hebben voor de toekomst, zo zei ze het ongeveer.

Met Geer van Velde krijg je even vakantie van al je vraagstukken. Het komt vast door het licht, niet scherp, wel buitengewoon helder, op elk doek keert het terug. Waar heeft hij dat voor het eerst gezien?

Hij is geboren in Lisse, heeft er zijn eerste indrukken

opgedaan. Het licht moet hem daar hoe dan ook hebben beïnvloed.

Ik loop er op een bewolkte dag in december. Waar moet ik het licht bekijken? Het wolkendek laat geen zonnestraal door. Een vrouw met een boodschappentas gaat me voorbij. Even kijkt ze naar de lucht, om te ontdekken wat ik zie.

Een kerk of een museum kun je in een vreemde stad bezichtigen. Het licht is daar te wisselend voor, afhankelijk van het weer en de seizoenen. Een voorbijganger iets over het licht vragen? Die woont hier langer en kan er een notie van hebben. De straat is leeg.

Bij Van Velde zie je in het begin nog landschappen en menselijke figuren, op zijn latere doeken komen die niet meer voor. Veel lampen, meubels, nooit op de voorgrond, maar achter in het vertrek. Na 1950 worden de omtrekken minder scherp, laat hij de dingen los, zijn ze hoogstens nog aanleiding voor een kleur.

Misschien vind je in het raadhuis iets over de familie Van Velde. In de hal zit ik op een bank te wachten. De vrouw die me achter het loket te woord heeft gestaan, zoekt de gevraagde documenten in de kelder.

Rechts gaat een deur open. Een jongeman met een map onder zijn arm loopt de hal in. Voordat hij het midden heeft bereikt, maakt hij een zwenking in mijn richting.

Hij kijkt vriendelijk, zal hij naar mij toe lopen, nee, de ruimte tussen ons in wordt weer groter. Hij loopt terug naar zijn eerste route en vervolgt zijn weg.

Achter de loketten zijn twee vrouwen met elkaar aan het praten. Ze lachen gedempt, om de gewijde sfeer in het raadhuis niet te verstoren.

Links gaat een andere deur open. Er komt een man in een driedelig pak tevoorschijn. Met klakkende zolen loopt hij door de hal. Hij ziet me, loopt op mij af, steekt een hand op en komt met een paar passen weer uit op het pad dat hij voor zichzelf heeft uitgestippeld.

De vrouw zit weer achter het loket en wenkt me. Het staat er in een zwierig handschrift: Gerardus van Velde is op 5 april 1898 om half acht 's morgens geboren, zoon van Willem van Velde, arbeider, en Hendrika Catharina van der Voorst, zonder beroep.

Op een kleiner blad staan de namen van de andere kinderen, Neeltje (24-1-1892) en Abraham Gerardus (19-10-1895), roepnaam Bram, als schilder is hij bekender geworden dan Geer. De schrijfster Jacoba van Velde (10-5-1903) is dan nog niet geboren.

De Van Veldes woonden maar kort in Lisse, van 21 oktober 1897 tot 13 juli 1898. 'In Wijk C', zegt een kroontjespen, 'nummer achtenveertig'. Het is niet meer te achterhalen welke buurt ooit met 'Wijk C' is bedoeld. De straten van Lisse hebben nu een afzonderlijke naam.

De familie vertrok naar Leiden. Ik loop naar de uitgang en ga rakelings een op mij toe lopende ambtenaar voorbij. Er zit maar een paar centimeter tussen onze zwaaiende armen. Hij groet mij opgewekt.

Is iedereen hier zo vriendelijk? Misschien heeft iemand kortgeleden over een bediende geklaagd of was de directeur zelf getuige van een onenigheid waarbij een van zijn ondergeschikten tekort is geschoten.

Nu naar Leiden? Het biografietje in een catalogus noemt die stad niet eens. Na Lisse woonde Geer tot 1924 in Den Haag, waar hij na zijn schooltijd gaat werken bij het schildersbedrijf Kramer. In 1925 vertrok hij naar Frankrijk en bleef daar, Parijs, Cagnes-sur-Mer, Cachan.

Den Haag dan maar? Nee, de lucht is daar, denk ik, net zo grijs en het juiste adres is niet meer te achterhalen.

Er gaat een week voorbij. Na Lisse heeft zich een koppige volharding van mij meester gemaakt. Ik moet en zal dat verholen lachje van Van Velde beter begrijpen, dan kom ik vanzelf wel toe aan het licht.

Ik kijk weer naar de foto van het atelier. Twee kachels, een emmer met rommel, verfpotten, drie, vier schilderijen en dan weer die lach.

Geer van Velde, Cachan, 1952

De ironie van zijn kleding en het sigarettenpijpje. Jij fotografeert maar, ik ontloop je plannen toch wel, dat moet hij hebben gedacht.

Dan vind ik een artikel over Van Velde, geschreven door Kees Broos. De foto in het atelier is een van de illustraties. 'Fundamentele eenzaamheid' lees ik. Twee bladzijden verder gaat het over 'de rust en stilte van Cagnes, in dat zuidelijke stralende licht'. Ik lees nog een paar regels en leg het artikel weg.

Niet weer, denk ik, niet weer. Wat ik net heb gelezen, geeft het werk van Van Velde een andere betekenis dan licht en bekoorlijk.

Het doet me denken aan de jaren 1962, 1963, toen ik iets ontdekte, wat ik later vergat. Het is er nog altijd, maar ik kan het nu meestal overslaan, al moet ik mij daar soms toe dwingen. Het kan altijd weer de kop opsteken. Ik schreef er iets over in het verhaal 'Rode scheepjes'.

'Ik kon de slaap niet vatten. Een reden voor onrust of ontevredenheid was er niet. Ook spookten er geen beelden uit het verleden door mijn hoofd. Toch had ik het gevoel dat er iets niet klopte, of de ruimte waarin ik mij bevond, een middelgrote kamer, niet meer vanzelf sprak.

Ik merkte dat de ruimte niet was gebonden aan de kamer waar ik die eerste ervaring had. Overal diende zij zich aan, niet alleen binnen, maar vooral buiten, op stranden en in vreemde steden, alsof de voorwaarde om iets te kunnen zien steeds opnieuw door mij moest worden onderzocht voor ik met het herkennen van een straathoek, een plein, de horizon of de hemel kon beginnen.

Nooit slaagde ik daar helemaal in. Het was of mij duidelijk moest worden gemaakt dat ik maar een beperkte kenner van de ruimte was. Ik werd telkens gedwongen om datgene te temmen wat ik vroeger kon overslaan. Het gebied waar ik eerst dwars doorheen keek, liet zich niet meer passeren.'

Het kwam niet bij me op dat iemand anders hetzelfde had gezien, mij in de beleving van de ruimte voor was gegaan. Bij Samuel Beckett kwam ik het door mij tegen wil en dank ontgonnen gebied opnieuw tegen.

In 1934 schreef hij een stuk over Ierse poëzie. Daarin heeft hij het over de ruimte tussen het oog van de beschouwer en het voorwerp dat wordt waargenomen. Hij noemt die ruimte achtereenvolgens een niemandsland, de hel en, iets vriendelijker, een leegte.

Kees Broos zinspeelt op dat fragment in zijn stuk over Van Velde. Hij zegt dat Beckett het 'no-man's land between the object and the eye' steeds weer opmerkt bij de broers Geer en Bram van Velde. Als Beckett in de naoorlogse jaren over hun werk schrijft, is die leegte altijd aanwezig.

Misschien kan dat gebied eerder met het werk van Geer dan met dat van zijn broer Bram in verband worden gebracht. Bij Geer zie je nog iets van een kamer of een voorwerp waarop de blik zich kan richten. Bram had gekozen voor een volledige abstractie.

Beckett was al jong bevriend met de teruggetrokken levende Geer van Velde. Ze hebben vaak over de ruimte gesproken. Echo's ervan klinken door in een ander vraaggesprek, in het Frans, de vertaling is van Broos.

'Kijk eens naar dit potlood en die inktpot. Het essentiële is niet het ene of het andere voorwerp, maar de ruimte die er tussen beide is,' zegt Van Velde. 'Dat is heel iets anders dan hun omvang of hun perspectief.

Wanneer je naar een steen kijkt, zie je één van zijn kanten, maar kennelijk kun je er ook omheen. Je kunt naar de achterkant kijken en dan beschouw je die steen als een

Geer van Velde, *Compositie*, 1948 (Pictoright)

los voorwerp, als een fragment, als iets dat in zichzelf voldoende is, een compleet ding.

Toch ademt de steen en zou niet zonder de ruimte kunnen,' gaat Van Velde door. 'Tegelijkertijd of na elkaar zie je al die opgeblazen dingen. Ze zien eruit als rijpe vruchten van de boom der kennis, maar wat hen opblaast is de wilde ruimte, zoals de wind een laken doet opbollen.'

Geer van Velde schuift de meubels en voorwerpen een eind naar achteren, dan valt de ruimte meer op. Die verplaatsing bereikt hij met gedempte kleuren, oker, grijs, fletsblauw.

Een rode stoel zou altijd voor in de kamer staan, een grijze stoel trekt zich vanzelf terug. De omtrekken van de meubels zijn deels aangegeven, alsof ze zich verontschuldigen voor hun bestaan.

Zo ontstaat de veronachtzaamde ruimte vanzelf. Steeds weer lijkt Van Velde te willen zeggen: alleen op een doek kan ik verbeelden wat mij in een kamer ontgaat.

Een paar dagen later maak ik een wandeling over het strand, niet ver van de duinen. Van Velde kijkt op de foto niet alleen naar de blikjes en penselen, schuin voor hem op tafel. Het gaat hem vooral om de ruimte tussen zijn ogen en de tafel, waarvan de kleur door het licht wordt bepaald.

Die ruimte is overal. Ik banjer er op het strand doorheen. De leegte vloeit langs mijn hoofd, mijn armen en benen. Niet ver van de kust varen enkele vissersboten. De donkere zeilen steken scherp af tegen de blauwe lucht, net als de rood-witte luchtballon, landinwaarts.

Van Velde lacht ons uit, Broos, Beckett en mij. De hal in het raadhuis heeft door de uit de koers geraakte ambtenaren nog meer met zijn werk te maken dan al onze woorden. Hun beleefde choreografie heeft de ruimte licht gemaakt.

Niemandsland, hel, leegte? Van Velde heeft de omgeving gepavoiseerd, iets vrolijks gegeven, misschien wel om ons tegen de ruimte te beschermen.

Blanke kaart

De stad komt onder mij tevoorschijn, ze pakt zichzelf uit, in de diepte. Wat zijn de torens brutaal met al die glimmende punten. De gestapelde schoenendozen zeilen onder de ballon weg, van Mallet-Stevens, Dudok of een andere architect? Er staan mensen in de tuin. Sommigen met een hand boven hun ogen tegen het licht.

We hangen er in een kalme vaart hoeks boven, magnetisme vanaf de grond. De villa verzet zich nuffig tegen je aandacht, dat zie je vanuit de lucht. Ze wil niet al te gauw door een ander mooi worden gevonden.

'Kijk,' roept G. Brands, 'een goederentrein...', hoe die door het land rijdt, schever kan scheef niet zijn en nu zegt Henk

De passagiers zijn koeien
En melk en kaas
En boter

Ik vul hem aan

En paarden, stieren en bloemen
De koe is moeder van de melk

Gerard, meteen

En grootmoeder van kaas en boter
Die zusters zijn

'Net of je 'm verkeerd bekijkt,' gaat GB door, 'zeker omdat je z'n rug nooit ziet.'

'The Marx Brothers wel,' zegt Henk.

'Die dansen erop.'

Is dat Mechelen, de kathedraal? Daar ben ik met Ann Meskens en Tatiana De Munck in geweest. Nu werken ze onder me aan iets nieuws, al die ruimte tussen ons in.

Een koe vlucht voor een vlinder. Hij fladdert bij z'n oor, de koe schokschoudert en zwaait met z'n kop. Dit verweer helpt niet. De koe zet het op een lopen, de vlinder houdt 'm bij.

'Hoe lang?' vraag ik en wijs naar de ballon.

'Lang genoeg,' Gerard tikt tegen de houder met hete lucht. Die zit op een geraamte van ijzer waar je net onderdoor kunt lopen.

'En als je wilt dalen?' vraagt Henk.

'Dan temper je het vuur.'

Links de kustlijn. De ballon drijft niet af zo te zien, ofschoon je niet weet hoe ver je van de zee bent. GB kan het niet goed beoordelen, 'dan zou je deze route vaker moeten nemen.'

De zee is weids, mevrouw. In ieder geval
is zij diep genoeg. Daal niet af
naar de bodem. Daar is het zeer vochtig.

De schaduw van de ballon op een korenveld doet me huiveren. Al die ruimte... Henk legt een hand op m'n schouder. Het uitzicht beperkt het gesprek. Onder ons in De Volgerlanden zit een meisje een jongen achterna. Dat helpt.

Er komt een moment dat het stil is en dat er toch iets gezegd mag worden.

'We kregen een nieuw aanrecht,' zeg ik.

‘En?’ vraagt Henk.

‘De man begon te wrikken... er kwam iets te voorschijn...’

‘Wat?’ vraagt Gerard.

‘Een krant onder het graniet... 12 december 1957...’

‘...welke...’ vraagt Henk.

‘1957... *De Groene*... van de moeder van Olga, denk ik...’

‘...Olga Madsen...’

‘...barokke fantasieën... dat stond er... met het naakte leven spelen... *Under Milk Wood*... daar ging het over...’

‘...Dylan Thomas...’

‘De loodgieter...’

‘Een vink,’ roept GB, hij wijst, ‘een vink.’

Weet je, weet je voor mij geen
Biskwie-iet?
Aarrrdappelschillen voor Jan
De Bie.

Beneden blijft alles zo lang hetzelfde, je ziet het hoogstens onder een iets andere hoek. Links de zee, niets raakt helemaal weg. Gaat het soms vlugger? De ballon drijft af en ook weer niet, alsof er onder je iets is waar je naartoe moet en je laat het toch weer schieten.

‘Nog even over “Laura”,’ zegt Henk, ‘wist niet dat het ook van Johnny Mercer is.’

‘Ja,’ zegt Gerard, ‘hij schreef ’t na de film.’

‘Is er dan een film van?’

‘Een film noir, weet niet meer van wie. De tune werd heel populair. Als jij “Laura” speelt, hoor je de woorden dan?’

‘Jawel, die zing ik er in gedachten bij.’

‘Bij de melodie?’

And you see Laura
On the train that is passing through.
Those eyes,
How familiar they seem
She gave
Your very first kiss to you...

Je ziet nog steeds waar je vandaan komt. Dat heb je als je op de grond een hoek om slaat nou nooit. De grens moeten we allang over zijn. Nasleep van boerderijen en elkaar rakende rivieren of hoe moet je ze van deze afstand noemen, beekjes, een stroom misschien.

'Laat de loodgieter een kijker in de afvoerpijp neer... aan een snoer met een schermpje verbonden...'

'...zie je in de keuken wat er beneden...?' vraagt Henk.

'...een bocht in de diepte... ligt er iets in een holte... een punaise of is het...'

'...iets spijkerachtigs...' probeert Henk.

'...een munt... dacht een munt.'

'...de ingewanden van het huis...' zegt Gerard.

Zien we in de verte, schuin van boven, de Gaten van Oost-Indië, Gerard is er zeker van, 'als wij en ook de zwanen rustig zweven op het water'.

Hij begint hoog in de lucht te vertellen over de jonge eend die hij daar tussen 's-Graveland en Nederhorst heeft opgevoed, 'hij snuffelt tussen het gras en onder de planten. Hij eet pissebedden, oorkruipers en spinnen... hij loopt druk heen en weer en duikt om de haverklap in zijn bak met water.'

Gerard kijkt vlug naar beneden, 'iemand verloor een staafje goud,' zegt Henk.

'En jij hebt 't zeker niet gevonden,' lacht GB.

...in een dag vol blauw en wolkenwit,
waarin wij saâmgeklonken op het harde hout,
elkaar zeggen wat wij vinden
van elkaar en van de Gaten van Oost-Indië...

'Hij is nu zo groot,' vertelt GB verder, 'dat ik vind dat hij eens echt moet gaan zwemmen. Kom, zeg ik, ga jij maar mee. Samen wandelen we door het bos naar de sloot. Aan de kant blijf ik staan.'

GB kijkt omlaag, 'dat moeten we niet hebben... een bos... water.'

De ballon zeilt naar beneden, langzaam, alsof hij in de Gaten van Oost-Indië wil landen. Ergens moet een raam openstaan. Je hoort aan het geluid van een fluitketel dat we steeds dichter bij de aarde komen.

GB laat meer hete lucht in de ballon ontsnappen. Dat helpt, maar niet genoeg, 'er moet ballast overboord,' zegt hij.

We beginnen te gooien, Henk en ik, duizenden namen van redactieleden, dwarrelend in de wind, mislukte amateurkiekjes, met zorg uitgezochte behangstalen. Dozen met prentbriefkaarten worden naast de mand geleegd. Kantelend kiezen ze hun eigen route, op weg naar de plaats waar ze ooit zijn verzonden of naar het adres waar ze nu voor de tweede keer aankomen. De dozen mogen erachteraan.

En zie – de ballon raakt van het bos af, zo statig, gevoel voor richting dat een smoking draagt.

'Zullen we 't vaker doen?' vraagt Henk aan Gerard.

'Wat?'

'Dit.'

'Waarom niet.'

''t Is wel aardig werk.'

Even weten we niet meer welke weg de ballon wenst

te nemen. Hierboven is alles een andere weg. Henk kijkt ernstig, zo heb ik hem vaak gezien.

ik kijk naar buiten, verdeel in ge-
dachten de lucht, daar is de vogel; toch
weet ik dat er een stukje ontbreekt

Iets anders dat je richting bepaalt. Je kunt er niet uit weg-komen.

onoplosbaar iedere keer weer
was het stukje hemel weerkaatst
in een vijver, water was lucht geworden

Gerard geeft me een kaart. Hij moet de brandstof in de gaten houden. Ik kijk naar beneden, om te zien wat er nog van een eventuele richting rest.

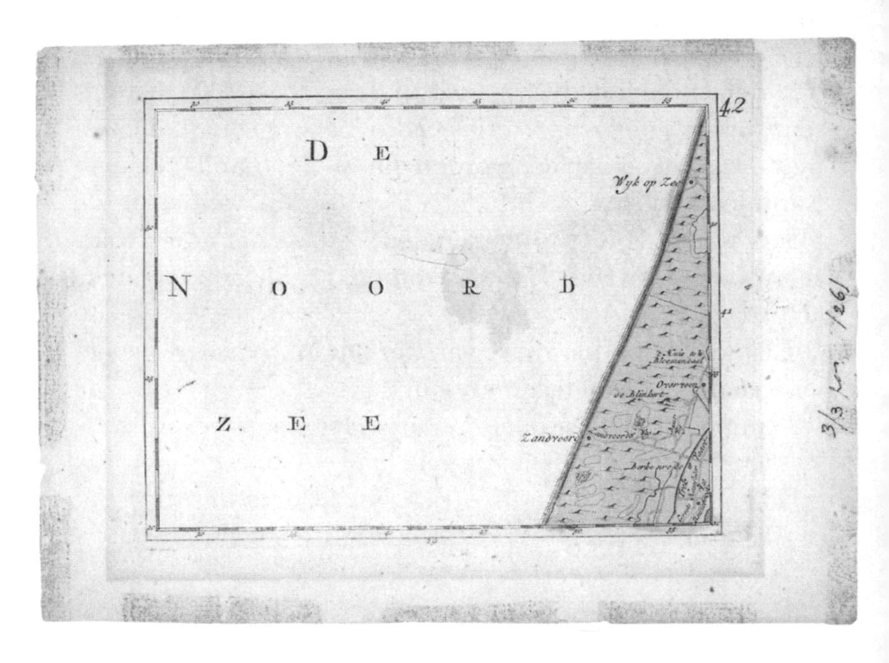

Groen groen
is het gras aan de oever van de rivier

Dicht dicht
zijn de wilgen in de tuin

De licht gebogen lijn verdeelt de kaart in tweeën: land en zee. De groene kuststrook met de getekende duinen, daar heeft een reiziger iets aan: Zandvoord, de Blinkert, 't Huis te Bloemendaal.

'Er ligt nog post uit Valkenburg,' zegt Henk, 'en uit Groet.' Hij gooit de prentbriefkaarten uit de mand en bekijkt de laatste twee kiekjes, vlak voor hij ze weggooit. Een regenpijp tussen de klimop, de vleugel van een vliegmachien...

Op mijn kaart bevinden Zandvoord en Wijk op Zee zich in het water, omdat er op het land geen plaats meer is. Ik zie de geestgronden, achter de duinen. Waaien we daarnaartoe of bereiken we de zee?

Navigatie. Vanuit mijn standpunt
wordt de aarde leesbaar. Een kaart.

Het witte gebied is met lengte- en breedtegraden nauwkeurig gemaakt. De meeste aandacht trekken De, Noord, en Zee. Ze staan er groot op, moeten zich uitrekken, op zoveel wit.

Bijna drijft de kust rechts het beeld uit, vervagen de lengte- en breedtegraden en verdwijnt ook de Noordzee. Het zijn de laatste overbodigheden op een blanke kaart die ons geen richting voorschrijft, geen kant meer op dwingt.

Uitgeverij Querido stelt alles in het werk om op milieuvriendelijke en duurzame wijze met natuurlijke bronnen om te gaan. Bij de productie van dit boek is gebruikgemaakt van papier dat het keurmerk van de Forest Stewardship Council (FSC) mag dragen. Bij dit papier is het zeker dat de productie niet tot bosvernietiging heeft geleid.